Chère Lectrice,

*Vous avez entre les mains un livre
de la Série Romance.*

*Vous allez partir avec vos héroïnes
préférées vivre des émotions inconnues,
dans des décors merveilleux.*

*Le rêve et l'enchantement vous attendent.
Partez à la recherche du bonheur...*

*La Série Romance, c'est une rencontre,
une aventure, un cœur à cœur passionnant,
rien que pour vous.*

**Un monde de rêve, un monde d'amour.
Romance, la série tendre,
six nouveautés par mois.**

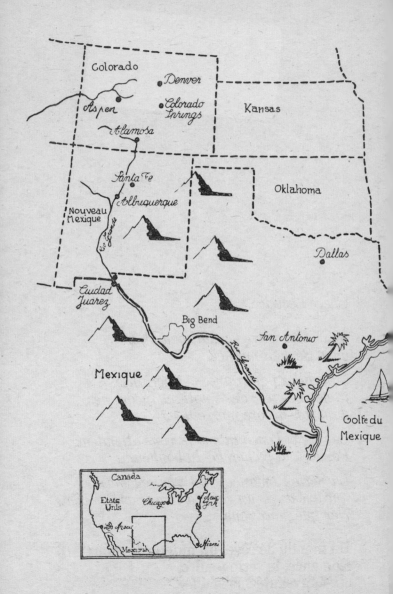

Série Romance

EDITH ST. GEORGE

Reflets d'arc-en-ciel

Duo

Les livres que votre cœur attend

Titre original : *Rose-Colored Glass* (248)
© 1983, Edith G. Delatush
Originally published by SILHOUETTE BOOKS
a Simon & Schuster division of Gulf
& Western Corporation, New York

Traduction française de : Marie-Noëlle Tranchart
© 1984, Éditions J'ai Lu
27, rue Cassette, 75006 Paris

Chapitre premier

Maureen tremblait de tous ses membres. Une peur panique la submergeait... Voyons, que lui avait conseillé la psychothérapeute dans des cas semblables ?

Elle crut entendre la voix de la spécialiste :

— Concentrez-vous... Tâchez de ne penser qu'à des choses agréables. Repoussez de toutes vos forces les souvenirs terrifiants...

Crispant les mâchoires, elle fixa l'arc-en-ciel qu'un rayon de soleil reflétait sur la table, à travers le vitrail qu'elle était en train d'assembler. Elle fronçait les sourcils, absorbant les vibrations chatoyantes. Des bleus très calmes, des rouges chaleureux, des verts infiniment rafraîchissants... Elle avait toujours été sensible aux couleurs.

— Elles te parlent, lui disait son mari avec une tendre ironie.

Anne examina son amie avec inquiétude. Elle venait de la délivrer du placard dans lequel elle s'était enfermée par mégarde. Depuis, Maureen ne réussissait pas à dominer ce tremblement incoercible.

— Ça va mieux, Maureen ? s'enquit-elle enfin. Je demanderai à Joe de réparer cette porte pour que tu puisses l'ouvrir de l'intérieur.

— Merci, murmura la jeune femme.

Les mots montèrent difficilement dans sa

gorge contractée. Elle prit une profonde inspiration. La psychothérapeute lui avait conseillé cela aussi : « Respirez ! A fond... »

— Tu dois me prendre pour une idiote, soupira-t-elle. Me mettre dans un tel état pour si peu !

— Après ce que tu as vécu, on ne peut pas t'en vouloir.

— Mais six mois ont déjà passé depuis l'accident, Anne ! Six mois, tu imagines ? Je devrais pouvoir me dominer maintenant.

Elle prit sa tête entre ses mains.

— Oh ! Ce cauchemar prendra-t-il fin un jour ? S'il suffit que je reste cinq minutes enfermée dans un placard pour frôler l'hystérie, je ne...

Elle laissa sa phrase en suspens. Elle savait bien, au fond d'elle-même, que ce n'était pas à cause du placard qu'elle se trouvait maintenant au bord de la crise de nerfs. Non, prisonnière, elle avait revécu la nuit terrible où Ed et elle s'étaient fait piéger dans leur voiture enfouie au milieu d'une énorme congère.

— Je dois partir, Maureen, fit Anne sans enthousiasme. J'entends le car scolaire... Et si je n'arrive pas à la maison avant les enfants, ils vont dévorer tout ce qu'ils dénicherons dans la cuisine.

Elle enveloppa son amie d'un coup d'œil soucieux.

— Je peux te laisser seule ? J'ai mis de l'eau à chauffer. Prépare-toi une tasse de café !

Maureen parvint à sourire. La couleur revenait peu à peu sur ses joues.

— Rentre vite chez toi. Je me sens beaucoup mieux, je t'assure... C'était seulement le choc.

Et, rejetant en arrière ses épais cheveux couleur châtaigne :

— Merci, Anne !

Cette dernière lui adressa un chaleureux sourire avant de traverser la rue pour retrouver ses deux petits diables. Maureen, qui les avait à plusieurs reprises gardés le soir pour permettre à son amie de sortir en compagnie de son mari, avait eu beaucoup de mal à endiguer leur exubérance. Elle ne comprenait pas comment Anne parvenait à y faire face quotidiennement et, cela, sans jamais perdre son calme.

— Il faudra absolument réparer la serrure de ce placard, fit-elle à mi-voix. Pourvu que Joe puisse s'en charger sans tarder !

Cette vieille demeure avait été restaurée comme toutes celles du quartier. Mais les points de détail laissaient parfois à désirer. Comme cette porte de placard, par exemple !

Artistes et artisans s'étaient installés en foule dans les rues étroites situées en plein cœur de la station de sports d'hiver d'Aspen, dans le Colorado. Ed, le mari de Maureen, était le seul à maîtriser la technique particulière du vitrail. Il avait transmis tout son savoir à sa femme et maintenant Maureen éprouvait une sorte de paix — presque de bonheur — à manipuler les morceaux de verre colorés dans la masse. Elle avait même appris à aimer leurs imperfections : ces striures irrégulières, ces petites bulles qui accrochaient si bien la lumière...

L'eau qu'avait mis Anne à chauffer dans la cuisine bouillait. Maureen se prépara une tasse de café soluble. Elle en avait à peine bu une gorgée que le timbre de la porte d'entrée résonna. Sa tasse à la main, elle retourna dans la boutique qui lui tenait lieu en même temps d'atelier.

Elle regrettait de ne pas avoir songé à accrocher à la porte le panneau « Fermé ». Elle ne se sentait guère d'humeur à bavarder avec des touristes !

Un homme de haute taille se tenait sur le seuil et le soleil faisait paraître encore plus pâles ses cheveux d'un blond argenté. Sans mot dire, il examina les animaux que Maureen fabriquait à ses moments perdus avec les chutes de verre coloré. Ces amusantes fantaisies se vendaient très bien.

— M. McClelland est-il ici ? s'enquit-il d'une voix froide.

Aussi froide que ses yeux bleus, songea Maureen.

Sans attendre sa réponse, il se dirigea vers le vitrail qui avait été récemment commandé à la jeune femme. Il était destiné à une église mais le donateur n'avait pas voulu de scène biblique. Maureen avait donc réalisé un grand tableau abstrait plein de couleurs.

Du bout de l'index, il caressa le plomb séparant deux morceaux de verre. Puis il poussa l'interrupteur permettant d'illuminer le travail en cours et le vitrail à demi achevé resplendit de toutes ses teintes chaudes.

Stupéfaite, Maureen regardait cet intrus évoluer chez elle comme en pays conquis. Il ne doit pas avoir plus de trente-cinq ans, se dit-elle. Les plis qui creusaient son front et les lignes qui encadraient sa bouche n'étaient pas des marques de l'âge mais de personnalité.

Il lui tournait le dos et malgré elle, elle admira

8

ses épaules larges, ses hanches étroites et ses longues jambes solides.

Reprenant brusquement ses esprits, elle alla éteindre la lumière.

— Que désirez-vous ? demanda-t-elle d'un ton sec.

— Je voudrais voir M. McClelland.

Il consulta sa montre tout en fronçant les sourcils.

— Et je n'ai pas beaucoup de temps ! ajouta-t-il.

Maureen se sentit rougir. De toute évidence, cet homme était de ceux qui la croyaient incapable de réaliser un travail correct ! Et cela, simplement parce qu'elle était une femme...

Redressant fièrement la tête, elle désigna le vitrail sur lequel elle avait passé tant d'heures et, d'un ton de défi :

— Que pensez-vous de ceci ? La réputation de l'atelier McClelland n'est plus à faire !

— Je connais M. Beam. C'est lui, je crois, qui a commandé à M. McClelland cet ouvrage ? Il m'a dit le plus grand bien de l'artiste.

— M. McClelland n'est pas là, fit Maureen. De quoi s'agit-il ?

Il pianota le bord d'une table avec agacement.

— Je suis tout à fait capable de vous donner les renseignements que vous désirez, insista la jeune femme.

Depuis la mort d'Ed, les clients s'étaient faits rares. Maureen parvenait à boucler son budget tant bien que mal surtout grâce à la vente de ces animaux dont raffolaient les touristes.

La commande récemment passée par M. Beam allait lui permettre de renflouer son compte en banque qui avoisinait le zéro. La vie était injuste... Elle travaillait aussi bien qu'Ed, elle ne l'ignorait pas. Alors pourquoi ne lui accordait-on pas la même confiance ?

— Je n'ai pas beaucoup de temps, répéta son visiteur. Je dois partir en avion pour le Texas. Et je voudrais que M. McClelland puisse commencer ces panneaux le plus vite possible !

Des panneaux ? Déjà, l'imagination de Maureen s'envolait...

— J'ai fait construire une maison non loin d'Aspen, expliqua-t-il. Une baie vitrée remplace entièrement l'un des murs de la salle de séjour mais le soleil est parfois aveuglant. Au lieu de mettre des rideaux, j'ai eu l'idée d'installer des panneaux en vitrail. Si M. McClelland peut se charger de ce travail dans les plus brefs délais, je lui passerai une commande ferme. Mais s'il est trop pris en ce moment et doit me faire attendre, je m'adresserai ailleurs. Croyez-vous qu'il pourrait au moins venir chez moi et me donner son avis ? A vrai dire, j'ignore si mon idée est réalisable.

Il eut un geste de la main.

— Bien entendu, je lui paierai son déplacement. Je serai de retour à Aspen samedi. Pourra-t-il venir ce jour-là ?

Maureen s'enthousiasmait.

— Il vous faudrait toute une série de panneaux sur rails. Chaque panneau devra être assez étroit, car les vitraux étant très lourds, il faut pouvoir les déplacer sans effort.

— Cela, je l'ai déjà compris, coupa-t-il.

De nouveau, il consulta sa montre.

— Désolé mais je n'ai pas une minute de plus. Mon pilote doit m'attendre...

Il lui tendit une carte.

10

— Voici mes coordonnées. Dites à M. McClelland que je l'attends samedi matin à dix heures. S'il a un empêchement, qu'il téléphone.

Quelques instants plus tard, il avait disparu. Maureen baissa les yeux sur le bristol blanc.

— Ray Gordon... murmura-t-elle.

Elle pinça les lèvres tandis qu'un soupir gonflait sa poitrine. Pourquoi avait-elle laissé croire à cet homme qu'Ed était toujours vivant ? A vrai dire, il ne lui avait guère laissé le temps de parler...

Ce serait formidable d'inventer ces panneaux... Et, financièrement, il s'agissait probablement là d'une affaire en or. Car cet homme était riche, cela se devinait dès le premier coup d'œil. Il exhibait les manières cassantes de ceux auxquels on ne dit jamais non. Et n'avait-il pas mentionné un avion personnel ? Avec un pilote attaché à son service ?

Si Maureen pouvait obtenir cette commande, tous ses soucis d'argent s'envoleraient et elle paierait enfin les factures qui s'accumulaient sur son bureau.

A pas lents, elle s'approcha de la vitrine où des oiseaux aux mille couleurs, suspendus au bout d'un fil de nylon invisible, paraissaient prêts à prendre leur envol.

Un couple de touristes sortit de la poterie de Joe, le mari d'Anne, les bras chargés de paquets. Un sourire détendit les lèvres pleines de Maureen. Ses amis avaient fait de bonnes affaires, aujourd'hui !

Joe, un géant barbu à la chevelure hirsute, accompagna ses clients jusque dans la rue.

Sans réelle raison, le cœur de Maureen s'alourdit. Joe et Anne semblaient tellement s'aimer !

Avec une passion qu'elle n'avait jamais connue auprès d'Ed... Pourtant son mari était le plus sympathique, le plus tendre, le plus gentil des hommes.

Grâce à lui, elle avait retrouvé son équilibre et repris goût à la vie, après une rupture orageuse avec un étudiant qui faisait les Beaux-Arts tout comme elle.

En se frottant les mains, Joe rentra dans son atelier. Il allait se remettre à son tour de potier avec encore plus d'enthousiasme...

Le regard de Maureen s'arrêta sur la boutique voisine, où Marie exposait des jupes volantées en cotonnade peinte à la main.

Dans la vitrine suivante, Bill et Ted alignaient leurs articles en cuir façonnés patiemment. A côté s'empilaient les appétissants caramels maison de Marj...

Maureen soupira à nouveau. Elle n'avait pas le temps de rêver ! Il lui fallait terminer avant dimanche le vitrail de M. Beam...

Chapitre deux

Son panier à provisions à bout de bras, Maureen regagnait son atelier d'un bon pas. Pendant son absence, Anne avait la gentillesse de le garder mais elle ne voulait pas abuser.

Elle serra les dents en se répétant pour la dixième fois peut-être qu'elle avait eu tort d'aller voir la psychothérapeute. De telles visites coûtaient si cher !

Mais après l'incident du placard, la veille, elle avait eu besoin d'être rassurée. Et elle l'avait pleinement été. La thérapeute lui avait rappelé que, quelques mois auparavant, elle aurait été incapable de s'occuper presque normalement d'un client après une telle secousse nerveuse. Il lui aurait fallu deux ou trois jours pour récupérer.

Un client, ce Ray Gordon ? Probablement pas... Dès qu'il apprendrait la mort d'Ed, il refuserait de passer commande à sa veuve.

Maureen se mordit la lèvre inférieure. Pas plus tard que ce matin, elle avait reçu une lettre de la banque lui rappelant qu'elle avait un mois de retard pour le remboursement de l'hypothèque...

Anne la reçut triomphalement.

— J'ai fait des affaires pour toi ! J'ai réussi à vendre douze de tes petits animaux à la présidente d'un club de bridge : ils feront de parfaits cadeaux pour son prochain tournoi

Elle esquissa une révérence en lui tendant le chèque remis par la cliente.

— Tu devrais te remettre au travail. Les poissons fantastiques et les oiseaux de toutes les couleurs semblent mieux partir que le reste.

Maureen hocha la tête. Il fallait en effet qu'elle renouvelle son stock...

— J'ai envie de faire aussi une espèce d'épouvantail à moineaux. Cela devrait bien se vendre ! Mais pour le moment, je dois terminer le vitrail de M. Beam.

Sans perdre de temps, elle s'empara de ses outils et d'une plaque de verre d'un rouge orangé aux nuances vibrantes. Elle resta penchée sur sa table jusqu'à l'heure du déjeuner. Après avoir avalé un sandwich, elle reprit son travail jusqu'à la tombée de la nuit.

Le jeudi, en fin d'après-midi, elle put appeler M. Beam pour lui annoncer que son vitrail était prêt. Il arriva une demi-heure plus tard.

— Bravo ! s'exclama-t-il.

Et, hochant sa tête grise :

— Ed n'aurait pas mieux fait ! Quelle symphonie de couleurs...

Il regarda autour de lui en fronçant les sourcils.

— Pas d'autre commande en vue ?

— Non, soupira-t-elle avec amertume. Apparemment, les temps sont difficiles. Et les gens deviennent tout de suite méfiants en voyant une femme faire un métier d'homme...

Elle haussa les épaules en souriant.

— Peut-être devrais-je me contenter d'assembler des petits animaux...

Il l'enveloppa d'un regard plein de sympathie.

14

— Je vous en prie, Maureen, pas de défaitisme. Tout s'arrangera, vous verrez...

— Oh ! J'oubliais de vous remercier d'avoir recommandé l'atelier McClelland à un certain M. Gordon. Il est venu lundi dernier pour me parler d'un projet de panneaux en vitraux.

Elle secoua la tête.

— Mais il croit qu'Ed est toujours vivant. Et je ne pense pas qu'il me prenne assez au sérieux pour me confier cette commande !

— Ray Gordon ? Il avait en effet admiré chez moi le travail réalisé par Ed l'année dernière. Je lui ai alors donné votre adresse. Le fait que vous soyez une femme ne change rien, voyons, Maureen ! Vous vous faites des idées !

Elle ne chercha pas à discuter. Dès qu'elle avait rencontré le regard de Ray Gordon, elle avait su qu'elle se trouvait en face d'un misogyne convaincu.

— J'inviterai Ray à la petite cérémonie qui aura lieu dimanche à l'occasion de l'offrande du vitrail, décida-t-il. Ainsi il verra de quoi vous êtes capable !

Il ne tarda pas à la quitter, après lui avoir remis un chèque qui devrait payer le remboursement de l'hypothèque jusqu'à la fin de l'année.

Mais il fallait aussi songer à remplacer la chaudière... Elle avait commencé à donner des signes de faiblesse l'hiver précédent et la saison froide était longue et rude à Aspen.

Elle se remit au travail.

— Voyons un peu ce que donnerait l'épouvantail auquel j'ai pensé l'autre jour...

Elle en dessina la silhouette sur un carton, puis elle en fit le patron. Sur chaque pièce destinée à être assemblée, une fois qu'elle serait coupée en plein verre, elle notait soigneusement la teinte.

Le premier épouvantail fut une réussite. Sa silhouette amusante plairait sûrement... Se souvenant des conseils d'Anne, elle fabriqua ensuite une série de poissons aux longues nageoires aériennes, ainsi que quelques oiseaux aux teintes chatoyantes.

Tout en coupant le verre avec des gestes précis, elle songeait aux panneaux que Ray Gordon voulait voir réaliser chez lui.

— Quand il apprendra que je suis seule à accomplir ce travail, il dira tout de suite non ! murmura-t-elle. A quoi bon rêver ?

C'était à peine s'il avait fait attention à elle. Pourtant, elle se savait jolie, avec son teint ivoire, ses cheveux d'une riche nuance auburn et ses grands yeux clairs frangés de cils épais.

Après son départ, cependant, quand elle avait surpris son reflet dans une glace, c'était à peine si elle s'était reconnue... Ses traits étaient tirés et l'expression de ses yeux cernés tellement hantée ! Elle avait dû également admettre que cette queue de cheval qui retenait ses cheveux en arrière ne lui allait guère. Certes, c'était plus commode pour travailler. Mais, question élégance...

Elégants, ses vêtements ne l'étaient pas non plus. Un vieux tee-shirt informe, un jean délavé...

Qu'avait pensé Ray Gordon en la voyant ? Rien, probablement. Il devait avoir l'habitude de femmes sophistiquées, parfaitement maquillées, parfaitement habillées, parfaitement coiffées...

Les lèvres pincées, elle assembla à l'aide de fils

16

métalliques les minuscules morceaux de verre destinés à former les ailes d'un oiseau.

— De toute façon, cela m'est égal ! grommela-t-elle. Qu'y a-t-il de commun entre un homme qui voyage dans son avion personnel et une femme qui tire le diable par la queue ?

Pourtant, leurs origines sociales devaient être à peu près les mêmes. Le père de Maureen n'était-il pas un important businessman à la tête de différentes sociétés ? Enfant, Maureen était venue skier à Aspen, comme tant d'autres petites filles riches. Et l'été, une gouvernante l'emmenait jouer sur les plages californiennes.

Mais ni son père — trop pris par ses affaires — ni sa mère — accaparée par ses obligations mondaines — n'avaient de temps à consacrer à leur fille unique. Après la mort de sa mère, le vide de son existence lui était soudain apparu.

Elle venait de terminer ses études secondaires et avait toujours été attirée par l'art. Pourquoi ne pas faire les Beaux-Arts ? Son père n'y avait vu aucun inconvénient. A vrai dire, rien de ce que faisait sa fille ne l'intéressait. Il se contentait de lui verser régulièrement une somme importante qu'elle pouvait utiliser à sa guise. A part cela, moins il la voyait, mieux il s'en portait. C'était du moins l'impression qu'avait Maureen...

Ce sentiment se confirma à l'occasion du remariage de son père avec une très jeune femme.

Avec l'intransigeance de la jeunesse, Maureen décida alors de ne pas toucher à l'argent que lui remettait son père par l'entremise d'une banque. Ces dollars devaient continuer à s'accumuler sur son compte... mais elle n'avait pu jusqu'à présent se résoudre à y puiser.

Au cours de sa dernière année aux Beaux-Arts, elle avait rencontré Jérôme et avait cru tomber amoureuse de lui. Cet amour paraissait réciproque... Sa déception avait été grande le jour où elle avait compris qu'il s'intéressait seulement à elle parce qu'elle était une riche héritière.

Ses parents l'avaient déçue. Il fallait donc que les hommes la déçoivent aussi ? Sur un coup de tête, elle avait fait ses valises et les avait entassées dans sa petite voiture. Le hasard l'avait conduite à Aspen, cette station de sports d'hiver dont elle gardait de bons souvenirs d'enfance.

En flânant dans les petites rues du centre de la ville, elle avait poussé par hasard la porte de l'atelier d'Ed. Tout de suite, elle avait été fascinée par les merveilleux vitraux qu'il assemblait avec patience.

Elle était revenue dans l'atelier le lendemain et, sans autre préambule, il lui avait proposé de devenir son assistante.

— Mais... pourquoi cette offre soudaine ? s'était-elle étonnée. Vous ne savez rien de moi et...

— J'ai vu votre visage s'éclairer tandis que vous contempliez un morceau de verre dans un rayon de soleil. Cela m'a suffi pour comprendre qu'entre vous, les couleurs et les vitraux, il existe un lien particulier.

Six mois plus tard, ils se mariaient. Et trois ans après, Ed mourait...

Il laissait entre les mains de Maureen un vrai métier. Elle en savait désormais autant que lui et avait pu terminer seule les commandes en cours.

18

— Et maintenant ? soupira-t-elle.

Elle se trouvait dans une impasse. Certes, elle pouvait communiquer à la banque de son père sa nouvelle adresse et son nouveau nom. Aussitôt, son compte actuel serait crédité d'une somme rondelette. Mais sa fierté lui interdisait de recourir à cette solution de facilité.

Elle s'étira et, après avoir trempé un pinceau dans une huile spéciale destinée à patiner les plombs du vitrail, se mit en devoir de les badigeonner les uns après les autres.

Le vitrier vint le lendemain matin. Elle le surveilla avec anxiété, tandis qu'il chargeait le vitrail dans sa camionnette.

— Attention !

Il le protégea à l'aide de vieilles couvertures.

— Ne vous inquiétez pas, Maureen. Je n'ai jamais cassé l'une des œuvres d'Ed. Pourquoi voudriez-vous que j'abîme les vôtres ?

— J'ai toute confiance en vous. Mais je ne peux pas m'empêcher de me faire du souci !

Elle avait pris les dimensions avec énormément de soin. Mais si elle s'était trompée ? Si le vitrail dépassait de quelques centimètres la fenêtre de l'église qu'il était destiné à remplacer ? Si un morceau de verre se fendait au moment de la pose, parce qu'elle n'avait pas remarqué un défaut ? Si... si...

— Voulez-vous venir avec moi ? proposa le vitrier.

Cet homme d'un certain âge avait déjà pris sa retraite. Mais il continuait à poser les vitraux, car il s'agissait là d'un travail hautement spécialisé.

— Non, merci ! Je le verrai dimanche, quand il sera en place.

Elle n'avait pas le courage d'assister à la pose de son œuvre, redoutant un accident.

Après lui avoir chaleureusement serré la main, le vieil artisan se mit au volant de sa camionnette. Maureen suivit le véhicule des yeux. Elle ne put réprimer une exclamation angoissée lorsqu'elle le vit cahoter sur un malencontreux nid-de-poule situé en plein milieu de la rue.

— Cesse de t'inquiéter, Maureen, cela ne sert à rien ! se gourmanda-t-elle. Retourne travailler !

Le lendemain matin, dès qu'elle ouvrit les yeux, elle se rappela que c'était samedi. Ray Gordon attendait à dix heures la visite d'Ed McClelland...

— J'irai ! décida-t-elle. Après tout, je m'appelle McClelland, moi aussi ! Et je suis tout à fait capable de réaliser ses panneaux coulissants !

Si l'ouvrage ne pouvait être terminé dans les plus brefs délais, il avait menacé de s'adresser ailleurs. Croyait-il donc qu'il était facile de trouver un bon verrier ? Dans la région d'Aspen, Maureen n'en connaissait pas un seul !

Oui, elle était capable d'entreprendre un tel travail. Et de le réussir... Peut-être même mieux qu'Ed ! Ce dernier n'avait-il pas admis à plusieurs reprises qu'elle possédait plus que lui le sens des couleurs ?

Il fallait que ce matin, elle soit à son avantage. Ray Gordon ne reconnaîtrait pas la jeune femme grise et triste qu'il avait vue au début de la semaine !

Après avoir pris une douche, elle passa un pantalon en velours côtelé bleu marine et une tunique en laine blanche tissée à la main qu'elle avait achetée chez l'une de ses amies. Elle enfila ensuite des bottes en cuir souple puis serra autour de sa taille fine une large ceinture de cuir.

Ses cheveux soigneusement brossés tombaient en vagues souples sur ses épaules. Des boucles d'oreilles en or, un soupçon de parfum, un peu de rouge à lèvres... elle était prête. Et le miroir, cette fois, lui dit qu'elle était jolie.

Elle s'installa au volant de sa voiture. La même qui, un peu plus de trois ans auparavant, l'avait amenée à Aspen... Elle enregistrait déjà un nombre appréciable de kilomètres et Maureen craignait de la voir rendre l'âme un jour ou l'autre. Un nouveau problème à l'horizon !

C'était une magnifique journée de printemps. Là-haut, les sommets encore enneigés se détachaient sur un ciel sans nuages. Le soleil, aujourd'hui, ferait fondre un peu plus de cette neige qui persistait sur les versants exposés au nord et dans les creux des vallées.

Le cœur de Maureen se gonfla. Soudain, son humeur se mettait au diapason du temps... Tout irait bien, elle le pressentait. Ray Gordon se rendrait à ses arguments et lui passerait la commande ferme de toute une série de panneaux en vitrail !

Elle se mit à chantonner. Elle se sentait si légère, si heureuse qu'elle faillit manquer la route privée que marquait une pancarte : *Gordon — propriété privée.*

C'était une voie étroite en excellent état, qui montait en serpentant au flanc de la montagne. Par endroits, elle était ombragée par de hauts sapins et des mélèzes. La température tomba brusquement et Maureen frissonna, tout en s'empressant de fermer sa vitre ouverte.

La route, après un brusque tournant, domina toute la vallée. Maureen appuya sur la pédale de frein, subjuguée par la beauté du paysage qu'elle découvrait. Sur une colline proche était bâtie une vaste demeure en forme de H, avec quatre ailes élégantes d'où l'on avait certainement de merveilleux points de vue sur la vallée.

La voiture était maintenant totalement immobilisée et Maureen ne se décidait pas à repartir.

— Même s'il ne me donne pas ce travail à faire, je serai largement récompensée en pénétrant dans cette maison, murmura-t-elle, les yeux agrandis.

Elle n'avait pas vu le brouillard monter lentement de la vallée en contrebas. Déjà, la condensation parsemait son pare-brise de gouttelettes.

Elle fronça les sourcils. Pour parvenir jusqu'à la demeure de Ray Gordon, il lui faudrait conduire avec une prudence extrême dans cette brume, puisqu'elle ne connaissait pas la route.

Enfin, elle relâcha le frein et appuya sur l'accélérateur...

Chapitre trois

En quelques minutes, un épais brouillard avait envahi la vallée, phénomène courant dans la région. Il montait aussi vite qu'il se dissipait.

Maureen étreignit son volant avec tant de force que ses jointures blanchirent. Elle ne voyait plus rien, même pas le grand sapin qu'elle pouvait encore discerner quelques fractions de seconde auparavant. Elle était prisonnière de ce dense nuage grisâtre et cotonneux.

La panique la submergea.

— Non ! hurla-t-elle.

Non, elle n'allait pas se laisser gagner par la terreur. Elle aurait assez de force pour rester calme, pour résister à cette épouvante sans nom qui la terrassait...

De nouveau, elle entendit le *bruit*. Ce bruit épouvantable qu'elle avait appris par la suite à identifier : tout simplement sa propre respiration.

— Non !

Il lui fallait absolument repousser ce cauchemar... Depuis combien de temps était-elle immobile derrière son volant ? Le moteur de la voiture avait calé et un petit voyant rouge clignotait sur le tableau de bord. Comme six mois auparavant...

— Concentrez-vous, lui avait dit la psychothérapeute. Tâchez de ne penser qu'à des choses agréables.

Ah! C'était facile à dire! Comment aurait-elle pu suivre ce conseil alors qu'elle était en proie à une terrible crise de claustrophobie?

Je vais imaginer un chien, songea-t-elle. Et elle vit aussitôt se dessiner un setter irlandais à la robe de feu. Un homme marchait derrière lui. Un homme aux cheveux si pâles qu'ils paraissaient couleur argent.

Il ouvrit la portière de la voiture et se pencha vers elle. A mi-chemin entre le rêve et la réalité, Maureen aperçut un visage à la mâchoire ferme, un nez légèrement aquilin et des yeux pâles, froids, d'un bleu aussi insondable que le bleu d'un glacier.

Derrière lui se profilait le grand sapin sombre. Le brouillard avait disparu! Elle était libre... Elle avait survécu!

Une plainte s'échappa de ses lèvres. Ses membres se décontractèrent, elle se sentit devenir aussi molle qu'une poupée de chiffon. Et elle sombra dans l'inconscience...

Ce fut tout d'abord une voix féminine qui résonna à ses oreilles.

— La pauvre! Comme elle est pâle...

Elle perçut ensuite le bruit d'un liquide versé dans un verre.

— Tu crois que cela lui fera du bien?

— Cela ne peut pas lui faire du mal. Elle a besoin de reprendre ses esprits et de se réchauffer : elle est glacée.

Cette autre voix, elle la connaissait. Elle l'avait déjà entendue quelque part. Mais où? Mais quand?

Elle ouvrit les yeux. Et tout de suite, elle sut qui se trouvait devant elle, un verre de cognac à la main : Ray Gordon.

Il n'y avait plus aucune froideur dans ses yeux clairs. Seulement de l'inquiétude. Et de la douceur, aussi ? Oh ! Elle rêvait...

Avec des doigts tremblants, elle s'empara du verre et en but d'un trait le contenu. Puis elle se mit à tousser tandis que le liquide brûlant descendait dans sa gorge.

— Merci... balbutia-t-elle.

Il lui reprit le verre des mains. Elle réussit à se redresser et regarda autour d'elle. Elle se trouvait dans une vaste salle de séjour dont les murs étaient tapissés de bois exotique — le même bois que le parquet. Çà et là étaient jetés de précieux tapis chinois à dominante bleue. Une imposante cheminée lui faisait face. Et, de l'autre côté, des baies vitrées dominaient la vallée.

Bien sûr, c'était là qu'il voulait ces panneaux en vitrail !

Les meubles étaient rares mais choisis avec beaucoup de goût. Elle admira surtout les confortables canapés de cuir blanc. Mais quand son regard s'arrêta sur les grands tableaux qui décoraient les murs, elle ne s'intéressa plus à rien d'autre.

Soudain, elle rougit. Que devait penser Ray Gordon ? S'évanouir ainsi sans raison apparente... Elle frémit en se remémorant sa peur panique.

— Je vais chercher une couverture, décida la jeune femme dont elle n'avait jusqu'à présent entendu que la voix.

Elle l'aperçut au moment où elle sortait de la pièce. Elle était grande, blonde — et enceinte.

Ainsi, Ray Gordon était marié et son épouse attendait un heureux événement...

Mme Gordon revint presque aussitôt. Elle déposa sur les genoux de Maureen un plaid en cachemire.

— J'ai demandé qu'on nous fasse un peu de thé, déclara-t-elle en lui tapotant amicalement l'épaule.

Immédiatement, Maureen trouva sympathique cette jeune femme au sourire chaleureux. Ses prunelles étaient bleues comme celles de son mari. D'un bleu plus soutenu et sans la moindre froideur...

— Ce n'est pas la peine, murmura Maureen. Je me sens déjà mieux et je suis désolée de vous avoir ainsi dérangés.

Ray Gordon leur tournait le dos. Debout devant les baies vitrées, il admirait le paysage. Quand une femme de chambre pénétra dans la salle de séjour, porteuse d'un plateau sur lequel elle avait disposé une théière et des tasses, il pivota sur ses talons.

— Je vous connais ? demanda-t-il à Maureen sans autre préambule. D'ordinaire, je n'oublie ni les visages ni les noms. Or je n'ai pas l'impression...

Sa femme lui coupa la parole.

— Voyons, Ray, laisse-la se remettre avant de la harceler de questions ! Attends au moins qu'elle ait bu une tasse de thé.

Maureen se mordit la lèvre inférieure. Elle était venue ici bien décidée à emporter la commande des panneaux. Elle voulait prouver à cet homme qu'elle était tout à fait capable de les réaliser. Et voilà qu'elle s'était évanouie comme une femmelette !

26

Après avoir bu son thé, elle reposa la tasse en fragile porcelaine de Chine sur une table basse. Puis elle redressa les épaules et s'obligea à soutenir le regard de Ray Gordon.

— Je m'en veux terriblement, monsieur Gordon, commença-t-elle.

Il haussa un sourcil.

— Vous connaissez mon nom et je n'ai pas l'honneur de...

— Vous êtes venu à mon atelier lundi dernier, lui rappela-t-elle. Et vous avez fixé un rendez-vous aujourd'hui.

Brièvement, elle se présenta :

— Maureen McClelland. Il s'agit de ces panneaux en vitrail que vous voulez installer... dans cette pièce, je suppose ?

Il la toisa de haut.

— J'avais demandé à *monsieur* McClelland de venir ce matin, fit-il d'un ton sec.

Fâchée, Maureen se redressa.

— Mon mari est mort depuis six mois. J'ai repris l'atelier et je suis tout à fait qualifiée dans le travail du vitrail. Lorsque vous êtes venu chez moi, au début de la semaine, vous avez pu voir celui que j'étais en train de réaliser pour M. Beam. Je crois qu'il a l'intention de vous inviter pour l'inauguration. Vous aurez ainsi l'occasion d'examiner cette œuvre terminée.

Mme Gordon intervint.

— Justement, Ray, M. Beam a téléphoné tout à l'heure, pendant que tu te promenais avec le setter. L'inauguration aura lieu demain à neuf heures.

— Bien...

Il redonna son attention à Maureen. Sans hâte,

il l'examina des pieds à la tête puis haussa les épaules.

— La réalisation de ces panneaux demandera un effort physique important. Je ne vous crois pas capable de...

Sa femme lui coupa la parole.

— Ray ! Comment peux-tu parler ainsi ?

Maureen se redressa encore, profondément blessée.

— Oui. Comment...

— Ne m'en veuillez pas, madame McClelland ! s'exclama-t-il. Je n'ai pas voulu vous vexer... Mais je n'ai pas l'impression que vous soyez particulièrement solide. Sinon, vous n'auriez pas arrêté votre voiture en plein milieu de la route, alors que vous ne couriez pas le moindre danger. Et vous ne vous seriez pas non plus évanouie dans mes bras !

Brusquement, elle se mit debout. Les paroles de cet homme l'avaient atteinte comme un coup de fouet. Elle tremblait. Ses dents s'entrechoquaient et elle revivait les terribles souvenirs qui l'avaient si profondément marquée.

— J'attendais l'accident, dit-elle simplement.

— L'accident ?

— Mon mari et moi avons été pris dans le brouillard, il y a maintenant six mois de cela. Un pneu a éclaté et notre voiture s'est jetée dans un énorme banc de neige. Nous en sommes restés prisonniers... Ed était gravement blessé et je ne pouvais rien faire... La voiture refusait de démarrer et nous étions si profondément enfoncés dans cette congère de neige fraîche que je ne pouvais même pas ouvrir les portières.

Sa propre voix lui parvenait, aiguë, méconnaissable.

— Quand on est enfin venu nous dégager, mon mari était mort.

Elle frissonna, secouée par un sanglot sec. Mme Gordon la prit dans ses bras.

— Oh! La pauvre... Je vous en prie, tâchez de vous calmer! Ne pensez plus à tout cela... Je comprends maintenant pourquoi le brouillard vous met dans un tel état.

Maureen avait l'impression que le ressort qui la tendait à l'extrême quelques minutes auparavant venait de se briser. Elle baissa la tête, soudain épuisée. Mais elle était surtout démoralisée... C'était la première fois qu'elle se laissait aller de la sorte. Jusqu'à présent, elle avait réussi à garder pour elle les terribles souvenirs. Même à Anne, sa meilleure amie, elle n'avait jamais parlé de tout cela...

A cause du brouillard et surtout de cet homme lointain et dédaigneux, elle avait perdu toute maîtrise d'elle-même.

Il était allé reprendre sa place près de la fenêtre. Sans même lui adresser un mot de sympathie, un regard de compréhension.

Elle soupira. En se conduisant de cette manière presque hystérique, elle avait gâché toutes ses chances. Jamais ces gens-là ne confieraient de travail à une femme aux nerfs aussi fragiles!

— Excusez-moi, fit-elle à mi-voix.

Avec inquiétude, elle regarda au-dehors. Le brouillard avait totalement disparu.

— Je vais vous laisser...

— Il n'en est pas question! s'exclama Mme Gordon. Vous allez d'abord vous reposer.

Maureen voulut protester mais elle l'en empêcha.

— L'heure du déjeuner approche. Vous le prendrez avec nous. Vous vous sentirez sûrement mieux ensuite pour regagner Aspen. Dans l'état de nervosité où vous vous trouvez, ce serait une folie de repartir maintenant !

Et, se tournant vers son mari, elle déclara d'un ton sans réplique :

— Je vais demander à Flo de mettre un autre couvert...

Elle se dirigea vers la cuisine. Sur le seuil, elle s'arrêta :

— Me permettez-vous de vous appeler Maureen ? C'est un si joli prénom !

— Bien sûr, répliqua la jeune femme.

Mme Gordon disparut et Maureen se trouva seule en compagnie de son mari.

— Voulez-vous vous rafraîchir ? proposa-t-il d'un ton détaché. Venez, je vais vous montrer une salle de bains.

Elle le suivit sans mot dire. Il lui indiqua une porte d'un geste de la main, avant de pénétrer dans sa chambre. D'après la disposition des lieux, Maureen comprit qu'elle se trouvait dans la barre centrale du H constituant la maison. Il s'agissait d'un large couloir dallé d'ardoise dont les murs étaient peints en blanc. Les tableaux qui les décoraient attirèrent tout de suite son attention. Ils semblaient être de la même facture que ceux qu'elle avait déjà admirés dans la salle de séjour.

Elle s'enferma dans la salle de bains et passa un peu d'eau fraîche sur son visage. Comme elle était pâle ! Elle se remit un peu de rouge à lèvres et, du bout du bâton carminé, toucha ses pommettes. Elle estompa ensuite la couleur sur ses joues. Déjà, elle paraissait avoir meilleure mine...

Après s'être donné un coup de peigne, elle prit une profonde inspiration et sortit dans le couloir.

Ray Gordon apparut presque au même instant.

— Je trouve ces tableaux excellents, lui dit-elle. L'artiste a su faire un usage des couleurs absolument fantastique !

— Tu entends cela, Lisa ? Voici un vrai compliment, car notre invitée ignore qui a peint ces toiles.

La femme de Ray Gordon arrivait. Elle sortait d'une chambre située à l'autre bout du couloir et cela surprit Maureen. Ses hôtes faisaient donc chambre à part ?

La jeune femme avait revêtu un caftan gaiement coloré. Quant à Ray Gordon, il s'était changé, lui aussi. Il avait remplacé sa chemise de flanelle par un chandail à col roulé dont la matière soyeuse moulait ses larges épaules et les muscles de son torse.

— Et qui est l'artiste ? s'enquit Maureen.

— Moi ! fit Lisa en souriant. Ray est un admirateur inconditionnel de ma peinture ! Quand il a fait les plans de cette maison, il a tenu à réserver beaucoup d'espace sur les murs afin d'y suspendre mes tableaux. J'aime peindre sur de grandes toiles et dans les demeures classiques, il n'y a pas toujours assez de place pour elles.

Tout en devisant, ils se dirigèrent vers une vaste salle à manger dont les fenêtres donnaient sur un point de vue différent de la vallée.

La table circulaire en chêne était mise pour trois, sur des sets bleu marine tissés à la main.

La porcelaine blanche étincelait, tout comme les verres de cristal et l'argenterie.

Quel raffinement, songea Maureen avec une pointe de nostalgie.

Elle ne possédait que quelques assiettes dépareillées et des couverts en inox. Ed ne jugeait pas utile de s'offrir de jolies choses à utiliser quotidiennement. Il préférait augmenter son stock de verres de couleur, chaque fois qu'il avait quelques dollars d'avance. Et les verres de couleur de bonne qualité étaient très, très chers !

— Ray a trouvé un endroit merveilleux pour bâtir sa maison ! fit Lisa avec chaleur. N'est-ce pas votre avis, Maureen ?

— Merveilleux ! assura-t-elle en écho. Est-ce vous qui avez dû tracer la route ?

Elle se tourna vers lui. Du bout de l'index, il caressait le pied de son verre. Elle se souvint qu'il avait effleuré de la même façon le vitrail de M. Beam. Dans ce geste, sans trop savoir pourquoi, elle décelait une terrible sensualité... Soudain troublée, elle avala sa salive.

— Un jour, je me promenais à cheval dans la vallée, expliqua-t-il à mi-voix, les yeux fixés au loin. J'ai emprunté un sentier pratiquement abandonné et je suis arrivé ici. Je me suis alors dit qu'il fallait absolument que j'achète ce terrain pour y faire construire une maison... En un éclair, je l'ai vue. En forme de H...

Alors il avait acquis le terrain, bâti la maison, aménagé la route... Maureen serra les lèvres. La manière dont il avait dit : « il fallait absolument que j'achète ce terrain » lui avait fait penser à son père. Lui aussi achetait, sans cesse... Des sociétés, des terrains, des immeubles. Chaque jour il augmentait son empire.

Oui, son père possédait des dollars, mais la fortune ne remplaçait pas l'amour ni la tendresse. L'enfant de Ray et Lisa Gordon grandirait-il comme elle avait grandi ? Devrait-il, tout comme elle, fuir la maison familiale pour pouvoir s'affirmer ?

— L'hiver, déclara Lisa, il faut déneiger presque quotidiennement la route. Heureusement, Jake et Flo vivent ici toute l'année. Jake passe régulièrement le chasse-neige...

Elle indiqua la colline voisine, où s'élevaient quelques bâtiments bas.

— Ils habitent là-bas, près des écuries. Ray ne peut pas vivre sans chevaux...

Flo apporta une salade de crevettes et la conversation, habilement menée par Lisa, s'orienta vers la peinture puis l'art du vitrail. Maureen se sentait très proche de sa manière de concevoir une œuvre. Elle regrettait de ne pouvoir devenir l'amie de cette jeune femme avec laquelle, dès le premier instant, elle s'était sentie sur « la même longueur d'ondes ».

Après le repas, elle remercia ses hôtes et s'apprêta à prendre congé. Lisa la retint.

— Puisque vous êtes là, venez donner votre avis pour ces fameux panneaux !

Elle l'entraîna vers le salon. Maureen ne protesta pas. Ç'aurait été bien mal venu alors qu'elle venait d'être si gentiment reçue !

Le visage impassible, Ray Gordon lui montra les vastes baies vitrées orientées plein sud.

— C'est ici que je verrais des vitraux. L'idée de mettre des doubles rideaux ne m'attire pas.

Il se tourna vers l'intérieur de la pièce et, avec un grand geste :

— Quand le soleil frappe les fenêtres, il suffirait de faire coulisser les panneaux. Imaginez les reflets colorés que cela créerait dans ce living-room !

Maureen imaginait sans peine...

— Spectaculaire ! fit-elle dans un souffle.

Oh ! Comme elle aimerait créer ces vitraux ! Mais il ne fallait pas rêver... Si Lisa n'avait pas insisté pour qu'elle donne son avis, jamais Ray Gordon ne l'aurait sollicité.

Elle examina soigneusement la pièce et les baies en verre particulièrement épais. Il fallait cela pour isoler la maison, les jours de grand froid. Le plafond était très haut et les panneaux devaient forcément être de la même hauteur que les fenêtres.

— Il faut d'abord prévoir des rails très solides et...

— J'ai déjà pensé à ce problème. J'ai l'intention de m'adresser pour cela à un ingénieur de mes amis. La personne qui réalisera les vitraux n'aura pas à s'occuper de ces détails techniques. Il lui faudra seulement me présenter un projet et aussi trouver le moyen de cacher les panneaux, quand ils ne seront pas utilisés.

— Dans des placards, déclara-t-elle immédiatement. Vous avez la place d'en construire de chaque côté de la baie.

— Des placards ? répéta-t-il avec une petite grimace. Une boîte à chaque extrémité de la fenêtre ?

— Il est impossible de les faire aller jusqu'au plafond. Mais vous pouvez prévoir au-dessus une espèce de jardinière avec des fougères qui retomberont sur les côtés.

— Quelle bonne idée ! s'écria Lisa qui avait

34

tout de suite compris. Des fougères tombant en cascade !

Une lueur passa dans les yeux bleus de Ray Gordon. Que signifiait-elle ? De l'admiration ? Peut-être du respect ?

Elle avala sa salive. Il ne fallait pas qu'elle se monte la tête ! Cet homme se méfiait d'elle. Même si elle lui proposait des plans fabuleux, il les examinerait avec réticence.

— Et les vitraux ? interrogea-t-il avec ironie Comment les voyez-vous ? Style gothique ?

Elle haussa les épaules.

— Sûrement pas. Ce n'est pas le genre de la pièce.

Elle était fâchée. Il la croyait donc incapable d'inventer un motif original ?

— Si vous avez une idée, faites un croquis, déclara-t-il. Je passerai à votre atelier vendredi prochain.

Il jeta un coup d'œil à sa montre.

— Je suis obligé de vous quitter. J'ai un rendez-vous.

— Moi aussi, je dois partir, dit Maureen.

Elle serra la main de Lisa en la remerciant encore une fois pour son hospitalité. Puis elle sortit en compagnie de Ray.

Le setter couleur feu se précipita vers eux en remuant la queue. Maureen qui adorait les animaux se baissa pour le caresser.

Avec un étrange sentiment de malaise, elle se souvenait de la peur panique qui l'avait envahie quelques heures auparavant. Le chien, qu'elle avait cru alors être le fruit de son imagination, était un animal en chair et en os...

Elle eut un léger frisson.

— Je vais vous suivre jusqu'à la route nationale, décida Ray Gordon en s'installant au volant d'une puissante Mercedes.

L'un derrière l'autre, ils arrivèrent au croisement. Ray Gordon agita la main et partit dans la direction opposée à Aspen. Maureen emprunta la route qu'elle connaissait bien, après avoir agité la main à son tour.

« Je passerai à votre atelier vendredi prochain », avait-il dit. Elle tâcherait d'avoir quelques projets à lui présenter, sans grand espoir...

Chapitre quatre

La cérémonie d'offrande du vitrail, organisée par M. Beam à l'église, se déroula sans problème. Il y avait là beaucoup de monde. Maureen se trouva submergée de compliments... Elle aperçut Ray Gordon de loin mais il ne chercha pas à s'approcher d'elle.

Au cours des jours suivants, elle esquissa plusieurs projets de panneaux. Mais aucun ne la satisfaisait vraiment... D'ordinaire, elle n'était pas à court d'idées, pourtant. Alors pourquoi n'avait-elle aucune inspiration quand ce travail représentait tant pour elle ?

Ce fut seulement dans la nuit du jeudi au vendredi que le déclic se produisit. Elle s'éveilla en sursaut, s'assit dans son lit et *vit* l'ensemble des panneaux terminé.

Sans perdre un instant, elle s'enveloppa de sa robe de chambre et courut dans l'atelier, après avoir mis de l'eau à chauffer pour se faire du café. Si elle devait travailler toute la nuit, elle en aurait besoin !

Rapidement, elle esquissa à grands traits un premier projet. Puis elle le refit au propre avec un maximum de soin. L'aube blanchissait ses fenêtres quand elle commença à sortir ses tubes de gouache pour colorer son dessin.

Dans cette maison moderne aux lignes pures, il ne fallait pas de décoration sophistiquée. La salle de séjour était meublée avec une simplicité luxueuse, presque classique dans son modernisme. Les panneaux en vitrail devaient rester dans la même note. Et aussi dans les mêmes couleurs...

Elle revoyait les tapis chinois bleus, les deux murs blancs et celui du fond, tapissé de bois exotique. En dehors du brun, du blanc et du bleu, on ne trouvait pas d'autres couleurs dans cette pièce, à l'exception des tableaux de Lisa.

Dans son projet, elle s'en tint donc à ces deux couleurs de base : le brun et le bleu. Avec, çà et là, dans son dessin abstrait, quelques touches de rouge et une pointe de jaune.

— Le soleil, murmura-t-elle avec fièvre tout en trempant son pinceau dans l'eau.

A neuf heures du matin, elle étira ses membres douloureux. N'avait-elle pas travaillé pendant près de six heures d'affilée sans pratiquement bouger ?

Elle alla se refaire une tasse de café et revint près de sa table à dessin, examinant d'un œil critique ses différents croquis.

— C'est bon, admit-elle sans fausse modestie. Mais cela lui plaira-t-il ?

Et viendrait-il, seulement ? Il avait dit qu'il passerait vendredi... Pouvait-on se fier à ses promesses ?

Elle alla prendre une douche et s'habilla. Elle se sentait fatiguée mais elle était trop énervée pour retourner se coucher. Elle aurait été incapable de fermer l'œil.

Elle compléta son projet en posant sur la table lumineuse quelques échantillons de verre. Une exclamation ravie lui vint aux lèvres quand elle alluma la lumière. Les couleurs prenaient vie... exactement selon son désir.

Oh ! Comme elle avait hâte de se mettre au travail ! Ses doigts la démangeaient... Hélas, au lieu de se lancer dans cette grande œuvre, elle devait absolument confectionner une nouvelle série de poissons fantastiques !

Quelques touristes pénétrèrent à ce moment-là dans l'atelier et lui achetèrent deux oiseaux de toutes les couleurs. Elle regrettait presque leur intrusion... Ils venaient là en tiers, entre son rêve et elle.

Ray Gordon arriva en fin d'après-midi. Plus grand, plus séduisant encore que dans ses souvenirs...

— Bonjour, Maureen.

Leurs yeux se rencontrèrent et elle sentit les battements de son cœur s'accélérer.

— Avez-vous quelque chose à me présenter ? demanda-t-il.

— Je crois que... commença-t-elle.

Elle s'interrompit. Si elle voulait décrocher cette commande, elle devait absolument se montrer plus sûre d'elle-même.

— J'ai ce qu'il vous faut !

Il eut un demi-sourire.

— Ah bon ?

— Regardez...

Elle poussa l'interrupteur, illuminant les échantillons de verre de couleur qu'elle avait soigneusement choisis.

— Et voyez, ajouta-t-elle en disposant en bon ordre les huit panneaux peints à la gouache sur bristol blanc.

Sans mot dire, il les examina. Son visage demeurait de marbre.

— J'ai fait de nombreux autres projets, déclara-t-elle.

D'un geste de la main, elle désigna les études qui s'empilaient sur sa table à dessin.

— Rien ne me satisfaisait vraiment. Par contre, cela me semble tout à fait adapté à la décoration de votre living-room. J'en ai repris les tonalités...

Il demeurait toujours silencieux. Avec inquiétude, elle leva les yeux vers lui. Absorbé dans sa contemplation, il ne lui prêtait aucune attention.

Il était vêtu tout de noir, un pantalon en velours côtelé et une chemise en laine fine sur laquelle il avait jeté un chandail en cachemire, noir également. Le contraste avec ses cheveux pâles était frappant...

— Combien cela coûtera-t-il ! s'enquit-il enfin.

Il caressa les fragments de verre coloré du bout des doigts et le cœur de Maureen bondit dans sa poitrine.

— J'avoue ne pas encore avoir eu le temps de préparer un devis, admit-elle. C'est seulement cette nuit que j'ai trouvé l'inspiration. Depuis trois heures du matin, je travaille...

Il haussa les sourcils.

— Voilà pourquoi vous avez les yeux cernés ! murmura-t-il.

Son index effleura sa joue et elle frémit à ce léger contact. Soudain, ses jambes ne la portaient plus...

Elle surprit le regard de Ray Gordon et, avec gêne, s'aperçut qu'il avait remarqué son trouble. Faisant appel à toutes ses forces, elle parvint à gagner un tabouret et à s'y hisser.

Déjà, elle avait retrouvé son sang-froid.

40

— Si ce projet vous convient, j'en établirai le devis, déclara-t-elle avec calme.

Il hocha la tête affirmativement.

— A vrai dire, j'avais tout autre chose en tête. Mais j'admets que votre idée est excellente. Bien meilleure que ce que j'avais imaginé...

Sa voix était nette. Il traitait une affaire...

— Préparez-moi un contrat pour demain, décida-t-il. Je le signerai.

— Il faut vous attendre à ce que le montant de la facture atteigne plusieurs milliers de dollars...

— Je le sais bien, coupa-t-il.

Elle avait gagné ! Ses épaules s'affaissèrent et avec un soupir, elle se massa les tempes. Comme elle se sentait épuisée... Depuis des heures, des jours, ne vivait-elle pas sur les nerfs ?

— A l'œuvre depuis trois heures du matin ! fit-il d'une voix sourde. Vous êtes fatiguée...

Elle parvint à lui sourire.

— Quand l'inspiration est là, il ne faut pas lui dire non ! lança-t-elle d'un ton léger.

Elle rejeta ses épaules en arrière, faisant inconsciemment saillir sa poitrine sous le tee-shirt de coton.

— Avez-vous seulement songé à manger quelque chose ?

— Euh... j'ai pris du café...

— C'est tout ?

Il consulta sa montre.

— Je vous laisse un quart d'heure pour vous préparer. Et je vous emmène dîner ! Il nous faut fêter notre association.

Un instant, elle fut tentée de refuser. Mais sous quel prétexte ? Elle ne pouvait décemment pas lui avouer qu'il la troublait trop. Et elle ne pouvait pas non plus prétendre qu'elle refusait

41

de sortir avec un homme marié... Après tout, il s'agissait d'un repas d'affaires !

Elle monta dans sa chambre et, parmi les robes qu'elle avait gardées en souvenir de sa jeunesse dorée, elle trouva sans peine ce qu'il lui fallait : un fourreau de soie verte parfaitement bien coupé, dont la couleur se mariait joliment avec celle de ses cheveux auburn.

Elle n'avait plus guère l'occasion de porter de telles toilettes.

Ray hocha la tête d'un air approbateur quand elle redescendit, après s'être légèrement maquillée.

— Où aimeriez-vous aller dîner ? s'enquit-il.

— Vous décidez...

Il la conduisit dans un élégant restaurant au luxe discret et, très vite, la conversation de ce compagnon d'un soir devint passionnante.

Elle apprit que sa résidence principale se trouvait dans le Texas, où il possédait un vaste ranch. Mais il devait également mener des affaires parallèlement. Car même un très grand ranch ne lui permettait pas de vivre aussi luxueusement. Par exemple, l'achat du terrain où il avait fait construire cette maison près d'Aspen avait dû coûter une véritable fortune...

Il ne tenait pas à parler de lui. Adroitement, il lui posa des questions et sans trop savoir comment elle avait commencé, elle se trouva en train de lui raconter comment elle avait fait la connaissance d'Ed.

Brusquement, elle s'interrompit. Elle s'apercevait qu'elle présentait l'homme qui avait été son mari sous une telle lumière qu'on aurait pu en conclure qu'Ed était en réalité son père... Soit, il avait vingt ans de plus qu'elle. Mais cette différence d'âge était-elle à prendre sérieusement en considération ?

— Vous aviez tous les deux la même passion pour le vitrail, murmura Ray d'un air songeur.

Voulait-il insinuer que c'était leur seul point commun ? Elle ne savait que penser de cette réflexion. Devait-elle la considérer comme un sarcasme ?

Son visage demeurait impassible mais il ne la quittait pas des yeux. A chaque instant, elle sentait son regard clair posé sur elle. Déjà, dans l'atelier, quand il examinait ses projets, il ne cessait de la détailler avec une insistance presque gênante. Gênante ? Le mot était mal choisi. Quand il la fixait ainsi, elle se sentait intensément femme. Une femme sous le regard d'un homme...

Elle était suffisamment expérimentée pour se deviner désirée et cela la mettait mal à l'aise...

— Un dessert ? proposa-t-il.

Comme ses lèvres étaient fermes, pleines et sensuelles... Un instant, elle se demanda ce qu'elle ressentirait s'il les pressait contre les siennes. Et aussitôt, elle regretta de divaguer ainsi.

— Rien, merci, réussit-elle à répondre.

Brusquement, elle pensa à Lisa. Quoi, elle était en train de dîner en tête à tête avec le mari d'une femme qui lui avait été d'emblée sympathique. Et il ne cherchait nullement à lui cacher qu'elle lui plaisait ! Tout cela était assez... méprisable !

— Comment va Mme Gordon ? interrogea-t-elle froidement.

—- Mme Gordon ? répéta-t-il. Ma mère ?

Elle fronça les sourcils. Soudain, ses yeux s'étaient assombris. De qui se moquait-il ?

— Je parle de Lisa, voyons ! s'exclama-t-elle avec agacement.

Il l'enveloppa d'un regard dur.

— Apprenez, ma chère, que Lisa est ma sœur ! lança-t-il d'une voix cinglante. Si j'étais marié, je n'aurais pas l'idée d'inviter une autre femme à dîner !

Maureen demeura interdite. Elle avait l'impression d'avoir reçu un coup de fouet... Elle se sentit rougir, tandis que sa colère montait graduellement.

— Comment pouvais-je savoir ? Vous ne vous êtes même pas donné la peine de faire les présentations !

Elle croisa les bras.

— Par ailleurs, j'ai considéré ce dîner comme un repas d'affaires. Rien d'autre...

Il éclata de rire. C'était si inattendu qu'elle se trouva totalement désorientée.

— Ah ! Maureen ! Comme vous êtes drôle... Vous avez l'air d'un chat en colère, toutes griffes dehors et le poil hérissé !

Il rejeta en arrière une mèche tombée sur le front de la jeune femme. Ses doigts lui effleurèrent la tempe et elle frissonna, comme secouée par une décharge électrique.

C'était vraiment incroyable... Il suffisait qu'il la frôle pour qu'elle perde tous ses moyens.

S'efforçant de se contrôler, elle fit mine de s'intéresser passionnément à la tasse de café qu'un serveur venait de poser devant elle.

— Voulez-vous un autre café ? proposa-t-il dès qu'elle eut terminé sa première tasse.

— Non, merci.

— Dans ce cas, je vous ramène. Après cette nuit passée devant votre table de travail, vous avez besoin de sommeil !

Épuisée, elle ne protesta pas.

Il la reconduisit jusqu'à sa porte.

— Je passerai demain après-midi pour signer ce contrat ! Dormez bien !

Il lui caressa doucement la joue. Cette fois, elle ne ressentit pas de courant électrique. Seulement une sensation sécurisante, chaleureuse...

Chapitre cinq

— Je t'ai vue rentrer hier soir dans une splendide Mercedes! s'écria Anne dès qu'elle arriva chez son amie le lendemain matin.

Elles avaient pris l'habitude de se retrouver chaque jour pour prendre une tasse de café et échanger les derniers potins de la rue.

— Le propriétaire de la voiture était lui aussi splendide! poursuivit la jeune femme. J'étais en train de mettre les enfants au lit quand je t'ai aperçue dans ce somptueux équipage... Dis-moi vite! Qui est-ce?

— M. Gordon, répondit Maureen d'une voix égale. Mon projet de panneaux en vitrail lui a plu et il m'a invitée à dîner pour... pour discuter des détails pratiques.

— Formidable! Quel projet a-t-il choisi?

Tout au long de la semaine, elle avait vu son amie peiner sur ses calques...

— Viens voir!

Elle entraîna Anne dans l'atelier, espérant ainsi l'empêcher de continuer à parler de Ray. Elle avait rêvé de lui cette nuit... Rien de ce qui touchait à cet homme ne la laissait indifférente et elle n'avait pas envie de laisser transparaître son trouble.

— Bravo! s'exclama Anne avec chaleur. Tu t'es vraiment surpassée! Et il a dit oui tout de suite? Sans même consulter sa femme?

Maureen lui avait déjà raconté sa visite chez les Gordon. Et bien entendu, elle lui avait parlé de Lisa...

— En fin de compte, il n'est pas marié, expliqua-t-elle. Lisa, que je prenais pour sa femme, est en réalité sa sœur.

Le visage d'Anne s'illumina.

— Sa sœur ! Alors...

Tout de suite, Maureen l'interrompit.

— Je t'en prie ! Ne commence pas à bâtir un roman ! M. Gordon est une relation d'affaires. Un point, c'est tout !

— Quand le revois-tu ?

— Je crois qu'il doit passer aujourd'hui afin de signer le contrat. Et il me faudra bien entendu retourner chez lui pour prendre les mesures avant de me mettre au travail. A part cela, je n'aurai pas l'occasion de le rencontrer. Ne te mets pas d'idées en tête, Anne ! C'est ridicule !

Son amie lui adressa un petit sourire déçu.

— Tu es tellement jeune, tellement belle... Cela m'ennuie de te voir vivre seule !

— Anne ! Je suis veuve depuis seulement six mois...

— Ne te fâche pas, Maureen. Joe me dit toujours que j'ai tort de m'immiscer dans la vie des gens et de vouloir faire leur bonheur malgré eux. Toi, tu mérites vraiment de vivre auprès d'un homme... exceptionnel !

Des cris d'enfants retentirent dans la rue.

— Voilà les jumeaux ! soupira Anne. Ma belle-mère les a emmenés se promener. La pauvre ! Mes deux Sioux ont dû lui mener la vie dure ! A bientôt, Maureen !

Sur le seuil, elle s'arrêta et, taquine :

— Tu sais, ce Ray Gordon est très, très séduisant !

Là-dessus, elle disparut. Maureen soupira, quelque peu soulagée en se retrouvant seule. Anne voulait la remarier à tout prix ! Ces derniers temps, elle l'avait souvent invitée chez elle. Et il se trouvait toujours là, comme par hasard, un homme seul...

Il arrivait, bien sûr, que la solitude lui pèse. Mais de tels moments étaient relativement rares. En général, elle s'accommodait sans mal de son existence actuelle. N'avait-elle pas de nombreux amis ? Et un métier passionnant ?

S'installant devant son bureau, elle se mit en devoir de rédiger un devis et un contrat. Elle achevait de dactylographier celui-ci quand le timbre de la porte du magasin résonna.

Son intuition lui souffla que c'était Ray... Elle ne s'était pas trompée !

— Avez-vous eu le temps de préparer les documents ? lui demanda-t-il.

— Je viens tout juste de terminer.

— Parfait ! Vous semblez reposée aujourd'hui. Avez-vous bien dormi ?

Il ne la quittait pas des yeux et elle avait l'impression d'être devinée jusqu'au plus profond d'elle-même par ces prunelles claires.

— Très bien, merci.

Il s'empara des papiers qu'elle lui tendait et les lut attentivement.

— Tout cela me paraît en règle, murmura-t-il en s'emparant de son stylo d'or pour les signer.

Maureen croisa les mains derrière son dos. Si elle s'était écoutée, elle aurait caressé cette épaisse chevelure d'une nuance si pâle...

48

Ray signa ensuite un chèque représentant le premier acompte.

— Et maintenant, comment procédons-nous ? demanda-t-il en remettant son carnet de chèques dans sa poche.

— Je dois aller chez vous afin de noter les mesures. Il faudrait aussi que je voie le spécialiste chargé de l'installation des rails.

Il hocha la tête.

— Dans ce cas, venez donc dîner à la maison ce soir. Mon ami ingénieur passera le week-end avec nous.

Il réfléchit un instant.

— Pourquoi n'en feriez-vous pas autant ? Vous pourriez tout au moins rester cette nuit. La mise en route de tout ceci risque de soulever des problèmes et d'amener de longues discussions !

Retourner dans cette merveilleuse demeure... Y séjourner... Quel rêve !

— Cela me ferait plaisir, s'entendit-elle dire. Mais je ne peux pas fermer ma boutique. Et je crains de ne trouver personne pour la garder...

Il examina les étagères presque vides.

— Votre stock de petits animaux en verre coloré est au plus bas ! A quoi bon laisser l'atelier ouvert si c'est pour ne rien proposer à la vente ?

A cette logique parfaite, Maureen ne sut que répliquer.

— Préparez donc votre valise ! conseilla-t-il. Je viendrai vous chercher dans une heure.

Il ne lui laissa pas le temps de répondre. Déjà, il était à la porte.

— Lisa vous envoie ses amitiés, ajouta-t-il. Elle sera contente de vous revoir.

Sur ces mots, il disparut. Sans réfléchir plus longtemps, Maureen monta dans sa chambre et se mit en devoir de remplir un sac de voyage. Elle était heureuse comme cela ne lui était pas arrivé depuis longtemps !

— Oh, quelle élégance ! s'exclama Anne quand Maureen, un quart d'heure plus tard, la rejoignit chez elle, vêtue d'un ensemble pantalon gris foncé, qu'elle portait avec un chemisier en soie couleur cerise.

— Ray Gordon m'a invitée pour vingt-quatre heures chez lui. L'ingénieur qui doit installer les rails sera là et ainsi je pourrai discuter avec lui des détails pratiques.

— Tu te rends là-bas par tes propres moyens ? Ou bien vient-il te chercher ?

— Il ne va plus tarder. Ce n'est pas la peine que je laisse le magasin ouvert demain. Il ne me reste pratiquement rien à vendre !

Les yeux d'Anne étincelèrent.

— Oh, j'ai hâte que tu reviennes pour me raconter ton week-end !

Maureen vit la Mercedes grise s'arrêter devant son atelier.

— Il faut que je me sauve ! A bientôt, Anne !

Ray la détailla d'un air approbateur, puis il s'empara de son sac de voyage et le mit dans le coffre avant d'ouvrir la portière côté passager.

— Vous êtes très ponctuelle, madame McClelland ! Pour une femme, c'est une qualité rare.

— Croyez-vous ?

Il démarra et elle s'adossa au siège, surprise de se sentir aussi troublée qu'une adolescente à son premier rendez-vous.

Elle avait tort de se laisser ainsi émouvoir. Que représentait-elle, en effet, pour un homme tel que Ray Gordon ? Une conquête facile. Une

50

proie de plus à épingler à un tableau de chasse sûrement déjà bien garni. Et après ? Elle ne se faisait pas d'illusions. Une fois qu'il aurait obtenu ce qu'il souhaitait d'elle, il irait voir ailleurs. Cette navrante histoire, elle l'avait vue si souvent se répéter autour d'elle... Mais à aucun prix, elle ne voulait faire partie des victimes d'un don Juan.

Ray demeurait silencieux, absorbé par sa conduite sur la route sinueuse. Maureen en profita pour admirer le paysage. Il faisait un temps magnifique.

Les premières feuilles des trembles, d'un vert très doux, presque argenté, se détachaient sur la teinte sombre des sapins.

Ils ne tardèrent pas à arriver et Lisa accourut au-devant d'eux. Elle portait un vaste caftan imprimé de bleu qui flottait autour de sa silhouette alourdie par la maternité.

— Comme je suis contente que vous ayez pu vous arranger pour venir, Maureen ! J'espère que cela ne vous ennuiera pas de partager ma chambre. La maison de mon frère est une maison d'égoïste ! Il n'a pas pensé à prévoir assez de pièces pour loger ses amis. Les chambres d'invités sont seulement au nombre de deux ! Tom Murphy loge dans l'une et moi dans l'autre...

Elle s'arrêta devant une porte et, sur un ton de reproche :

— On pourrait très bien mettre un canapé-lit dans cette pièce ! Mais Ray a décidé que ce serait son bureau et que nul n'y pénétrerait !

Elle sourit.

— A vrai dire, je le comprends... Il n'aime pas être envahi.

— Je préfère la qualité à la quantité, déclarat-il avec un sourire.

Maureen était absolument de son avis. Elle se rappelait certains week-ends, dans la résidence secondaire de ses parents... Celle-ci ne comportait pas moins de huit chambres d'amis, et il était bien rare d'en trouver une inoccupée. Sa mère avait besoin d'être très entourée. Pour s'étourdir...

La pièce dans laquelle la conduisit Lisa était très vaste et aussi très gaie, avec ses tentures jaunes et blanches. La même étoffe recouvrait les lits jumeaux.

Les deux jeunes femmes ne tardèrent pas à regagner la salle de séjour et Maureen fit la connaissance de Tom Murphy.

— Eh bien ! s'exclama-t-il avec bonne humeur. Si je m'attendais à travailler en collaboration avec une aussi jolie femme !

Il semblait être perpétuellement gai et Maureen répondit sans se forcer à son sourire communicatif. D'emblée, il lui avait été sympathique...

— Méfiez-vous de Tom, Maureen ! lui dit Ray d'un ton mi-sérieux, mi-ironique. Il adore les femmes mais c'est un célibataire convaincu...

— Comment peux-tu dire cela ? s'exclama Tom. Ce n'est pas parce que tu te complais dans cet état que tous les autres sont comme toi !

Il n'avait toujours pas lâché la main de Maureen après la lui avoir serrée. Il la contempla d'un air tragi-comique et elle éclata de rire, tout en se dégageant.

Tom était très flirteur mais elle se sentait en sécurité auprès de lui. Elle savait qu'elle n'avait rien à craindre de ses avances. Jamais il ne réussirait à la troubler comme Ray parvenait à le faire.

— Tu aurais pu me dire que l'artiste que tu avais dénichée pour réaliser ces panneaux était merveilleusement belle ! fit-il d'un ton de reproche à Ray. Si j'avais su cela, je me serais arrangé pour repousser le rendez-vous que j'ai demain après déjeuner. Maintenant, je suis désolé à l'idée de devoir repartir aussi vite !

— Oh ! Nous nous reverrons ! lança Maureen avec amusement. Je serai certainement obligée de vous demander votre avis sur des détails techniques.

Lisa éclata de rire. Mais le regard de Ray demeura glacial...

— Si nous nous mettions au travail ? suggéra-t-il d'un ton sec. Tom, prends le bout de ce mètre. Maureen a besoin des dimensions exactes de la baie vitrée.

Bientôt, ils ne songèrent plus qu'à discuter de l'installation des panneaux. Maureen put donner le poids approximatif de chacun d'entre eux et Tom se lança dans de longs calculs afin de déterminer comment poser les rails, leur écartement, ainsi que la qualité de l'acier.

Ils étaient en train de prendre les mesures des placards dans lesquels viendraient se ranger les vitraux quand Lisa vint annoncer que le dîner serait prêt dans vingt minutes.

Elle se tourna vers Maureen.

— Voulez-vous venir vous changer ? Mon frère a-t-il seulement pensé à vous dire que nous avions l'habitude de nous habiller pour dîner ? De nos jours, de telles coutumes peuvent paraître un peu dépassées, mais nous y tenons !

Tout en devisant, elles se dirigèrent vers leur chambre.

— Si vous n'avez rien apporté, poursuivit Lisa, je peux vous prêter l'un de mes caftans.

— Je vous remercie mais j'ai pensé à prendre une robe longue.

Elle n'avoua pas à Lisa qu'elle avait été élevée selon les mêmes traditions maintenant assez désuètes. Elle avait mis dans son sac une robe de soie bleue rebrodée, qu'elle avait fait faire à Hong-Kong sur mesure, après avoir découvert un merveilleux tissu dans l'échoppe d'un vieux marchand chinois.

Après l'avoir enfilée, elle se demanda si elle n'aurait pas mieux fait d'accepter l'offre de Lisa... Elle se serait sentie plus à l'aise dans un ample caftan plutôt que dans ce fourreau qui révélait sa silhouette d'une manière presque indécente. Elle avait pris un ou deux kilos depuis l'époque où elle s'était fait confectionner cette robe. Ses formes étaient devenues plus pleines...

Les sourcils froncés, elle se contempla dans la glace. La robe était fermée par un petit col Mao, fixé à l'aide d'une minuscule grenouille en strass. Mais sous ce petit col s'élargissait un décolleté en forme d'as de pique, qui découvrait largement ses seins. Deux fentes, de chaque côté de la jupe droite, découvraient ses jambes à chaque pas.

Lisa sortit de la salle de bains et tomba en arrêt.

— Seigneur ! s'exclama-t-elle enfin. Eh bien, je suis contente que mon mari ne soit pas ici ! Dans mon état, je ne pourrais pas soutenir la comparaison !

— Je me demande si je ne devrais pas mettre

l'un de vos caftans, ainsi que vous me l'avez si gentiment proposé. J'ai acheté cette robe à l'époque où j'étais une jeune fille et à ce moment-là, elle ne paraissait pas aussi osée...

— Restez comme vous êtes ! protesta Lisa. Vous êtes splendide ! Etes-vous prête ? Allons rejoindre les hommes... Je me demande quelle va être leur réaction !

Elle la prit par le bras et l'entraîna. On aurait cru qu'elle redoutait de la voir changer d'avis.

A peine pénétrèrent-elles dans le living-room que Tom se précipita pour lui baiser les mains avec transport.

— Une vision !

Et, se tournant vers Ray :

— Jamais je ne te remercierai assez de m'avoir fait connaître Maureen !

Le visage de Ray demeurait impénétrable. Il l'avait à peine effleurée du regard et elle se sentit étrangement déçue. Mais à quoi s'attendait-elle ? Il n'était pas homme à se lancer dans des compliments dithyrambiques parce qu'elle avait changé de toilette !

Tom leva son verre :

— A la plus belle !

Elle sourit et, sans la moindre arrière-pensée, flirta avec lui ouvertement.

Ray apporta un verre de xérès à sa sœur et demanda à Maureen d'un ton neutre :

— Que voulez-vous boire ?

— Un peu de chablis, tout simplement.

En réalité, elle aurait préféré prendre quelque chose de plus fort que ce vin blanc sec qu'il était devenu à la mode de boire en apéritif. Mais elle sentait qu'elle avait besoin de toute sa lucidité...

Quelques instants plus tard, il lui tendit son verre. Son regard se posa d'abord sur ses lèvres, puis s'arrêta sur son décolleté.

— Vous êtes très différente, ce soir, de la jeune femme en jean et en tee-shirt penchée sur sa table de travail...

— Vous n'aimez pas ma robe ? questionna-t-elle, presque sur un ton de défi. Voulez-vous que j'aille me changer ?

Lisa s'approcha.

— Changer quoi ?

— Non, non, ne changez rien ! s'exclama Tom. Restez telle que vous êtes ! La femme de mes rêves...

Ils se rendirent tous les quatre dans la salle à manger où le dîner était servi. Un quart d'heure auparavant, Maureen mourait de faim. Et maintenant, curieusement, son estomac contracté refusait toute nourriture.

Tom continuait à bavarder de tout et de rien. Lisa lui répondait d'un ton léger. Maureen était incapable d'ouvrir la bouche et Ray demeurait silencieux. Désapprobateur, surtout...

Il lui en voulait parce qu'elle avait flirté avec Tom ? Mais il savait bien qu'il s'agissait là d'un jeu !

Après dîner, ils regagnèrent la salle de séjour où, déjà, Flo avait apporté le café. Lisa se mit en devoir de le servir.

— As-tu des nouvelles de ton mari ? lui demanda Ray.

— Hank m'a téléphoné ce matin. Il m'a chargée de te dire qu'il avait vendu de nombreuses têtes de bétail et pour un bon prix. Il ne tardera pas à venir nous rejoindre...

— Comment va-t-il ? s'enquit Tom. Je ne l'ai

56

pas vu depuis une éternité ! A-t-il déjà préparé la nursery ?

— Oh ! oui, s'exclama Lisa.

Et, secouant la tête.

— On dirait qu'il n'a jamais vu une femme enceinte. Il est aux petits soins pour moi... J'ai l'impression d'être devenue une précieuse porcelaine. Ray me traite de la même façon, d'ailleurs !

Elle s'étira.

— Pourtant, je me sens plus solide que jamais ! Mais tous deux ont voulu que je vienne ici pendant qu'Hank s'occupait des ventes de bétail. Ils craignaient de me voir rester seule à la maison. Comme si je risquais quoi que ce soit !

Elle adressa à son frère un regard chargé d'affection. Et Maureen fut surprise de lire tant de tendresse dans le coup d'œil qu'il lui adressa en retour. Ainsi, cet homme n'était de glace qu'en apparence. Certaines personnes parvenaient à le toucher...

Elle avala sa salive. Pourquoi s'était-elle imaginé que Ray n'avait pas de cœur ? Un homme dépourvu de cœur n'aurait jamais eu l'idée de construire cette magnifique maison, au cœur de ce merveilleux paysage !

La gorge serrée, elle se leva et alla vers la fenêtre.

— Vous admirez le clair de lune ? s'enquit Ray.

Incapable de parler, elle se contenta de hocher la tête affirmativement.

— Il faut aller dehors pour en profiter pleinement ! s'exclama Lisa. Emmène-la, Ray !

Tom se mit aussitôt debout. Lisa se tourna vers lui et, d'un ton sans réplique :

— Nous, nous allons jouer aux échecs. La dernière fois, vous m'avez battue. Mais Hank m'a enseigné quelques tours et cette fois, je suis sûre de gagner !

Tout de suite, Tom se piqua au jeu.

— Ah ! C'est ce que vous croyez ! s'exclama-t-il en se frottant les mains. Nous allons voir !

Ray se mit à rire.

— Ils en ont pour des heures, dit-il à Maureen. Tom a la passion des échecs !

Il la prit par le coude et la guida vers le hall. Devant la porte, elle hésita un instant.

— Que vous arrive-t-il, madame McClelland ? interrogea-t-il. Avez-vous peur de me voir me transformer en loup-garou au clair de lune ?

En loup, tout bonnement ! songea-t-elle.

— Quelle idée ! s'écria-t-elle tout haut. La lune n'est pas tout à fait pleine. Or c'est seulement les jours de pleine lune que sortent les loups-garous !

Il ouvrit la porte et elle retint sa respiration, subjuguée par le merveilleux paysage qui s'étalait devant elle. Toute la vallée était devenue d'argent et les ombres semblaient en velours violet. C'était absolument extraordinaire.

Longtemps, elle demeura immobile, sans mot dire.

— Tant de beauté ! murmura-t-elle enfin d'une voix tremblante.

— Merveilleux, n'est-ce pas ? On ne s'en lasse pas.

Ils parlaient tous deux à voix très basse, comme s'ils craignaient de briser un sortilège.

— Merci, chuchota-t-elle.

Instinctivement, sans réfléchir, elle posa sa main sur le bras de son voisin. Elle avait besoin de le toucher pour mieux s'imprégner de ce spectacle fabuleux. Quand il la prit par la taille, elle ne songea pas à protester. Tout cela était naturel... Plus, cela allait de soi.

Elle leva les yeux vers lui. La lueur argentée de la lune creusait son visage, en accentuant les ombres et les méplats. Soudain, une envie irrésistible s'empara d'elle... Celle de caresser ces pommettes bien dessinées, cette mâchoire ferme, cette bouche sensuelle...

Il lui frôla les lèvres des siennes et elle ferma les yeux. De nouveau, leurs lèvres se rencontrèrent...

L'espace d'un instant, très fugitivement, elle se dit qu'elle devrait se dégager... Mais elle n'en avait pas le courage. Au lieu de cela, elle posa ses mains sur ses épaules musclées.

Il lui frôlait toujours les lèvres, dans des baisers aussi légers, aussi imperceptibles que l'aile d'un papillon. Les jambes de Maureen se dérobaient sous elle... Elle était gagnée d'une étrange faiblesse. De tout son poids, elle se laissa aller contre la poitrine de Ray.

Alors il l'étreignit follement, sa bouche devint exigeante. L'ardeur de Maureen égalait la sienne. Tous deux titubaient, emportés par la passion, par le désir...

Puis, très doucement, il nicha la tête de la jeune femme au creux de son épaule et lui caressa les cheveux.

Longtemps, ils demeurèrent ainsi dans les bras l'un de l'autre.

Ray lui sourit avant de la prendre par la main et de la ramener à l'intérieur. Elle cligna des yeux tant la lumière du hall lui parut vive.

— Voulez-vous rejoindre les autres ? proposa-t-il.

Elle secoua négativement la tête. Elle n'avait pas envie de bavarder maintenant. Elle préférait se retirer dans sa chambre et revivre ces instants exceptionnels...

— Je vais aller me reposer.

— Bien... Montez-vous à cheval ?

— Oui, mais je n'ai pas pensé à apporter ma tenue d'équitation.

— Un jean suffira. Soyez prête à sept heures, demain matin...

— Entendu.

Il lui effleura la joue.

— A demain ! murmura-t-il.

Ces deux mots résonnèrent dans le cœur de Maureen comme une promesse.

Chapitre six

Quand Maureen ouvrit les yeux, le lendemain matin, l'aube se levait à peine. La vallée était devenue un monde mystérieux peuplé d'ombres violettes et bleues.

Jamais elle ne se lasserait d'admirer ce merveilleux paysage qui changeait au fil des heures, au fil du temps...

Lisa dormait à poings fermés dans le lit jumeau. Elle était venue se coucher la veille au soir, peu après que Maureen se fut mise au lit. Sans enthousiasme, elle avait admis que Tom avait gagné haut la main les deux parties d'échec. Mais à la grande surprise de Maureen, elle ne lui avait pas demandé pourquoi elle n'était pas venue dire bonsoir. Elle n'avait même pas posé de questions au sujet du clair de lune...

Elle s'était contentée de bâiller sans retenue.

— Oh! Comme j'ai sommeil! L'air de la montagne me fatigue. Cela fait une telle différence avec la plaine! Et moi, je suis une femme de la plaine!

— Dans quelle région habitez-vous? s'était enquise Maureen.

— Dans le Texas. Hank est le régisseur du ranch que possède Ray.

Un sourire rêveur avait détendu ses lèvres pleines.

— Je voulais faire de longues études... Mais

61

quand je suis revenue à la maison après ma première année d'université et que j'ai vu le nouveau régisseur, je suis tombée follement amoureuse...

Elle avait eu un joli geste de la main.

— Et voilà !

Avec une petite grimace, elle avait ajouté :

— Les choses ont beaucoup changé quand nous avons découvert les puits de pétrole !

— Sur le ranch ?

— Oui... A partir de ce moment-là, Ray s'est surtout occupé de les rentabiliser, tandis que Hank se consacrait exclusivement au ranch.

Maureen comprenait maintenant pourquoi Ray avait tant d'argent à sa disposition.

A vrai dire, l'origine de sa fortune ne l'intéressait pas vraiment. Elle préférait se remémorer des instants infiniment plus romantiques...

Elle se souvint que Ray l'attendait pour une promenade à cheval. A aucun prix, elle ne voulait être en retard !

Sur la pointe des pieds, elle se leva et s'habilla. Un jean, un chandail. Ray aurait peut-être un anorak à lui prêter ? Dans le petit matin, il ne ferait pas très chaud...

Elle sortit de la chambre et referma la porte avec le maximum de précautions. Puis, guidée par la bonne odeur du café, elle se dirigea vers la cuisine.

Ray s'y trouvait. Seul... Et dès qu'elle l'aperçut, elle sentit les battements de son cœur s'accélérer.

— Café ? demanda-t-il brièvement.

— Oui, s'il vous plaît.

Il remplit deux tasses et lui tendit l'une d'elles.

— Vous l'aimez noir, si mes souvenirs sont exacts ?

Il se rappelait cela ! Pourquoi ce simple détail l'émouvait-elle autant ?

— Il fait encore sombre, remarqua-t-elle, s'efforçant de parler d'une voix naturelle.

Ce n'était pas facile, après ce qui s'était passé la veille entre eux ! Elle s'en voulait de se sentir intimidée. C'était ridicule !

— Le jour ne va pas tarder à se lever, déclara-t-il. Le temps que nous buvions notre café et allions aux écuries.

Cinq minutes plus tard, ils s'installaient dans la Mercedes. Déjà, l'aube blanchissait le ciel qui se teintait à l'horizon d'orangé.

Quand ils arrivèrent devant les écuries, un homme aux cheveux gris resserrait la sangle de l'un des deux chevaux qui attendaient, déjà sellés.

— Tout est prêt, monsieur Gordon ! déclara-t-il avec bonne humeur.

— Merci, Jake.

Et, se tournant vers Maureen :

— Jake est le mari de Flo. Sans eux, jamais je n'aurais pu songer à faire construire cette maison à l'écart de tout.

Maureen serra la main du palefrenier qui lui amena une jument.

— Elle s'appelle Marguerite, lui dit-il. On l'a nommée ainsi parce qu'elle est née dans un champ plein de pâquerettes.

Ray avait déjà sauté en selle. Le grand cheval noir qu'il montait piaffait, visiblement impatient de partir.

— Vous n'avez aucune crainte à avoir, expliqua-t-il. Ces chevaux sont habitués aux sentiers de la montagne et ont le pied très sûr.

Maureen se mit en selle et régla ses étriers. Elle n'était pas montée à cheval depuis une éternité mais, tout de suite, elle se sentit en accord avec sa monture. Elle suivit Ray sur un chemin si étroit qu'ils ne pouvaient pas chevaucher de front.

Bientôt, ils arrivèrent devant un petit étang. Ray mit pied à terre et fit boire son cheval. Maureen l'imita. Puis, le cœur battant, elle attendit... Elle était persuadée que Ray allait de nouveau l'embrasser.

Mais il ne s'approchait pas d'elle. Il demeurait près de son cheval et contemplait le paysage, sans même paraître se rendre compte de sa présence.

— J'ai téléphoné hier soir à Hank, déclara-t-il soudain. Il a l'intention de venir à Aspen aujourd'hui et de repartir avec Lisa en début d'après-midi.

— Lisa va être ravie.

— Je voudrais que vous restiez, reprit-il d'une voix neutre. Je vous ramènerai chez vous demain.

La colère et l'indignation la submergèrent.

— Tom sera parti. Votre sœur aussi. Par conséquent, nous serons seuls ?

Comme elle avait été naïve de tant rêver après ce baiser au clair de lune ! Pour Ray, il s'agissait seulement d'un test destiné à savoir si elle était ou non consentante...

Elle reprit les rênes de Marguerite en s'efforçant de retenir ses larmes.

En quelques enjambées, Ray fut près d'elle.

— Je devine ce que vous pensez ! Vous... vous avez tort.

Pour la première fois, cet homme très sûr de lui semblait hésiter. Maureen le regarda avec surprise et, quand leurs yeux se rencontrèrent, sentit son cœur bondir dans sa poitrine.

— Hier soir, il aurait fallu que je sois de bois pour ne pas avoir envie de vous prendre dans mes bras. La lune vous avait transformée en déesse d'argent et je me demandais si vous étiez réelle.

Elle demeura silencieuse. Doucement, il lui caressa la main.

— Je voulais seulement vous dire qu'il était inutile que vous écourtiez votre séjour. La conception de ces panneaux représente un gros travail et il serait bon que vous observiez la pièce à toute heure du jour. La lumière y est tellement différente selon les instants...

Il avait raison... Cela n'empêchait pas que ce soir ils seraient seuls. Et si la lune leur faisait perdre la tête ?

— Resterez-vous ? demanda-t-il tout bas.

— Oui, s'entendit-elle répondre d'une voix presque inaudible.

Quand ils rentrèrent, ils trouvèrent Lisa et Tom qui les attendaient pour prendre le petit déjeuner. La dernière bouchée à peine avalée, Tom se leva.

— Il me faut prendre congé. A regret...

Il embrassa amicalement Maureen sur la joue.

— Soyez prudente, ma belle ! Tout ne sera peut-être pas si simple...

Elle l'enveloppa d'un regard surpris.

— Vous croyez que les panneaux me donneront tant de mal que cela ?

Certes, leur réalisation exigerait un gros effort mais elle se sentait parfaitement capable d'en venir à bout.

— Oh, je ne parlais pas des vitraux ! lança-t-il d'un ton léger.

Il n'en dit pas plus et elle se creusa la tête après son départ. Que signifiait cette mise en garde ?

Tom n'ignorait pas qu'elle était allée rêver au clair de lune, la veille, en compagnie de Ray. Il savait aussi qu'ils étaient sortis ensemble à cheval, ce matin. Et il était assez subtil pour tirer des conclusions de tout ceci...

Mais elle n'avait pas besoin de ses conseils. Soit, elle était très vulnérable... Elle ne faisait pas le poids devant un homme comme Ray.

Arrivera ce qui arrivera, se dit-elle avec un certain fatalisme. Elle se laissait porter par les événements et n'avait ni l'envie ni le courage d'en influencer le cours.

Ils étaient en train de déjeuner quand Hank téléphona de l'aéroport d'Aspen. Il venait d'arriver et attendait qu'on mette à sa disposition une voiture de location pour les rejoindre.

Lisa paraissait tout illuminée de l'intérieur. Maureen la regarda avec une certaine envie. Jamais elle ne s'était ainsi épanouie quand elle était la femme d'Ed...

Que lui avait apporté son mari ? La sécurité, tout d'abord. Pas la sécurité matérielle mais la sécurité morale, qui était autrement importante. Elle savait que jamais Ed ne disparaîtrait du jour au lendemain, appelé par ses affaires, comme son père qu'elle ne voyait qu'en coup de vent, entre deux avions. Et Ed l'aimait pour elle-même. Pas pour son argent, comme Jérôme dont elle avait cru aux protestations d'amour, alors qu'il guignait seulement la fortune dont elle hériterait un jour.

Son cœur se gonfla. Ed lui avait tant donné, tant appris... Et elle, que lui avait-elle offert en retour ?

Lisa était trop énervée pour avaler quoi que ce soit.

— Je vais boucler mes bagages, décida-t-elle.

Maureen non plus n'avait pas faim. Elle décida d'aller l'aider.

— Oh, ce sera vite fait, lui dit Lisa une fois qu'elles se retrouvèrent seules dans leur chambre. Je laisse des vêtements ici, puisque j'aurai bientôt l'occasion de revenir...

Son regard se fit rêveur.

— Songez ! Nous serons alors trois...

— Et vos caftans ? s'étonna Maureen. Vous ne les prenez pas ?

Il y en avait bien une demi-douzaine suspendus dans le placard.

Lisa eut un geste indifférent.

— J'en ai d'autres à la maison. Et à vrai dire, je commence à en avoir par-dessus la tête de les porter ! Une fois que j'aurai retrouvé mon tour de taille normal, je n'en mettrai plus jamais !

Soudain, elle bondit sur ses pieds.

— Voilà Hank !

Elle se précipita. Son oreille fine ne l'avait pas trompée... Un homme à la stature imposante pénétrait dans le hall. Il n'était pas aussi grand que Ray mais il se dégageait de lui la même impression de puissance. Tout de suite, Maureen le trouva sympathique.

Il étreignit sa femme.

— Avez-vous été sages, toi et le bébé ?

— Il aurait été difficile de faire des bêtises alors que Ray me dorlotait comme la prunelle de ses yeux !

Ce dernier fit les présentations et Hank serra la main de Maureen avec chaleur.

— Ainsi, c'est vous qui réaliserez ces fameux vitraux dont Ray parle depuis des mois !

Flo lui apporta un plateau-déjeuner et il se restaura pendant que les autres prenaient le café.

— Nous n'allons pas tarder à partir, déclara-t-il en tapotant le genou de sa femme.

La gorge de Maureen se noua. Après leur départ, elle serait seule avec Ray... Et alors, que se passerait-il ?

A sa grande surprise, l'après-midi se déroula très normalement. Ils bavardèrent comme de vieux amis, discutant surtout des panneaux.

Elle n'avait pas remarqué combien le temps passait vite... Quand Ray décida que le moment était venu de se changer pour dîner, elle consulta sa montre avec surprise.

— Il est déjà si tard ! s'exclama-t-elle.

— Vous ne vous êtes pas ennuyée en ma compagnie, vous m'en voyez heureux.

— J'ai seulement apporté une robe longue...

— Eh bien, empruntez l'un des caftans de Lisa. Ne vous l'a-t-elle pas proposé ?

C'était exact et Maureen n'hésita pas à suivre ce conseil. Elle choisit un caftan en soie bleue orné de bandes de toutes les couleurs de l'arc-en-ciel.

Sous cet ample vêtement, elle n'avait pas besoin de porter de soutien-gorge. Elle se contenta d'enfiler un slip en dentelle. Des sandales à hauts talons complétèrent sa tenue.

Elle se maquilla légèrement, se parfuma puis, après s'être brossé vigoureusement les cheveux, regagna la salle de séjour.

Ray s'y trouvait déjà. Lui tournant le dos, il préparait des cocktails devant le bar. Il s'était changé lui aussi ; il portait un pantalon et une veste en velours couleur fauve, vraisemblablement coupés sur mesure.

— Un chablis ? demanda-t-il en lui tendant un verre.

— Merci.

Il l'enveloppa du regard.

— Il faut que Lisa vous fasse cadeau de ce caftan. Il vous va merveilleusement bien !

— Il est très joli, en effet...

Elle tournoya sur elle-même et regretta immédiatement ce geste inconsidéré ; une lueur brillait dans les prunelles de Ray...

— Nous devrions manger tant que c'est chaud. Flo a tout préparé avant de rentrer chez elle...

Il termina son cocktail d'un trait. Maureen but son chablis en quelques gorgées et le suivit dans la salle à manger. Sur le dressoir étaient disposés des plats en argent maintenus au chaud sur une plaque électrique.

Ray souleva le couvercle de l'un d'eux.

— Oh, oh ! Langouste thermidor ! Flo s'est surpassée ce soir...

La table était mise pour deux. Il versa du vin blanc glacé dans leurs verres de cristal et leva le sien.

— A nous !

Maureen réussit à lui répondre d'un sourire en

levant son verre à son tour. Mais comme sa gorge était sèche ! Et comme son cœur battait fort...

— Connaissez-vous le Texas ? s'enquit-il après l'avoir servie.

— Non. Je l'ai survolé autrefois... C'est tout. Vos parents habitaient là-bas, eux aussi ?

— Avant même que le Texas devienne un Etat, ma famille y possédait un ranch. Mon grand-oncle, qui était sans héritier direct, l'a légué à mon père. Et j'en ai hérité lorsque ce dernier est mort... il y a trois ans.

— Vous n'avez pas d'enfant pour continuer la lignée ?

— Je ne suis pas marié, lui rappela-t-il. Mais maintenant que Lisa perpétue la famille, j'espère que ma mère cessera de me pousser à prendre femme !

Le regard de Maureen s'évada au loin. Sa propre mère détestait la voir grandir, car elle se sentait ainsi obligée d'avouer son âge. Elle n'aurait pas pu supporter d'avoir des petits-enfants !

Ray posa sa main sur la sienne.

— A quoi pensez-vous ?

— Ma mère redoutait plus que tout de vieillir. Elle m'envoyait en pension et pendant les vacances, elle m'offrait des voyages lointains. De cette manière, la plupart de ses amis ignoraient qu'elle était la mère d'une adolescente.

— Et votre père ?

Elle haussa les épaules.

— Il était beaucoup trop pris par ses affaires pour se souvenir de mon existence ! Quand je me suis mariée, il a demandé à sa secrétaire de m'envoyer un somptueux cadeau. Mais il n'a même pas cherché à faire la connaissance de mon mari...

Elle avala sa salive, surprise de constater que les années passaient et que l'indifférence des siens l'atteignait toujours aussi profondément.

Ray lui caressait la main.

— Vous n'avez jamais été dans un ranch ?

— Une fois, pour monter à cheval. Dans l'un de ces ranches qui reçoivent des cavaliers amateurs...

— Je parle d'un *vrai* ranch !

— Non, je n'ai jamais eu l'occasion de visiter un *vrai* ranch. Peut-être certains amis de mes parents en possédaient-ils ? Mais ils ne s'en occupaient pas personnellement, préférant en confier l'exploitation à un régisseur.

Elle marqua une pause avant d'ajouter d'un ton presque accusateur :

— Comme vous-même avez confié l'exploitation du vôtre à Hank !

Le regard de Ray se durcit et elle s'en voulut aussitôt d'avoir parlé ainsi.

— Lisa m'a dit que vous préfériez vous occuper des puits de pétrole, s'empressa-t-elle de dire.

L'expression de son vis-à-vis s'adoucit quelque peu.

— C'est plus ou moins exact. Hank et moi nous partageons les tâches... Mais au fond, ce n'est pas si simple que cela !

Il ne lui donna cependant pas d'autre explication.

— Voulez-vous un dessert ? proposa-t-il. Flo a laissé une glace dans le réfrigérateur.

— Je n'ai plus faim, merci.

Il s'était arrangé pour écarter Flo, ce soir. Ils se trouvaient tous les deux absolument seuls dans cette grande maison... Et elle avait accepté de passer la nuit ici. Il fallait qu'elle ait perdu la raison !

Du café était maintenu au chaud dans un Thermos. Ray en remplit deux tasses et les posa sur un plateau.

— Retournons dans la salle de séjour, suggéra-t-il.

Il fit craquer une allumette dans la cheminée et les papiers s'enflammèrent, puis communiquèrent le feu aux brindilles. Les grosses bûches qui s'étageaient savamment au-dessus ne tarderaient pas à se consumer à leur tour.

Déjà, le crépuscule envahissait la vallée d'ombres veloutées.

— Le ciel est couvert, déclara Ray. Je crains que nous ne puissions pas voir la lune ce soir. Dommage...

— Heureusement que j'ai pu l'admirer hier. Quel spectacle extraordinaire !

Elle se sentit rougir et s'en voulut. Pourquoi fallait-il toujours qu'elle se conduise en adolescente effarouchée dès qu'elle se trouvait près de Ray ?

— Combien de temps vous faudra-t-il pour terminer les panneaux ? interrogea-t-il.

— C'est difficile à dire. Nous en avons prévu huit. Une fois que j'aurai préparé les calques grandeur nature, le travail sera déjà bien avancé. Il arrivait parfois à mon mari d'avoir recours aux services de deux jeunes filles très adroites auxquelles il avait appris l'art de couper le verre. Si elles sont libres, je pourrai les engager.

Ils terminèrent leur café et Ray lui proposa un cognac.

— Volontiers ! répondit-elle.

Il se dirigea vers le bar et quelques instants plus tard, revint porteur de deux verres. Après avoir déposé un léger baiser sur la nuque de la jeune femme, il s'assit près d'elle et l'attira contre sa poitrine.

Sans mot dire, ils demeurèrent ainsi blottis l'un contre l'autre, en dégustant leur cognac, tout en regardant les flammes lécher les bûches.

Doucement, les doigts de Ray remontèrent le long du bras nu de Maureen. Cette caresse à peine esquissée éveilla en elle mille échos.

Les verres étaient vides. Ray s'en empara avec une certaine brusquerie et les déposa sur la table basse. Puis il se tourna vers elle et l'enlaça.

— Toute la journée, j'ai eu envie de vous prendre dans mes bras et de vous embrasser !

Leurs lèvres se rencontrèrent dans un baiser qui la laissa haletante. Oui, elle aussi avait attendu toute la journée ce moment-là. Elle n'aspirait qu'à rester nichée dans les bras de Ray, pour lui tendre ses lèvres, pour s'offrir à lui tout entière.

Il lui emprisonna un sein et elle s'arqua contre lui avec un gémissement de plaisir. Avec des mouvements pleins de hâte, il repoussa la soie du caftan sur ses épaules, dégageant sa poitrine.

— Comme vous êtes belle ! murmura-t-il.

De nouveau, elle gémit. La bouche de Ray errait sur ses seins... A son tour, elle défit les boutons de sa chemise, désireuse de caresser ce torse tiède et musclé...

Il l'étreignit sauvagement, moulant son corps souple contre le sien. Elle s'abandonnait, les yeux clos.

La sonnerie du téléphone retentit à cet instant, stridente. Tous deux sursautèrent...

— N'y faisons pas attention, chuchota Ray dans son oreille.

Mais le correspondant s'entêtait. Ray fronça les sourcils.

— Je vais arracher les fils ! s'écria-t-il rageusement.

Maureen avait déjà retrouvé sa lucidité.

— Pour qu'on appelle à cette heure-là, c'est certainement important.

Il passa la main dans ses cheveux.

— J'espère que oui, grommela-t-il. Sinon, ils m'entendront !

Il se leva et, avec consternation, elle s'aperçut que le désir et la passion qu'un instant auparavant encore elle pouvait lire dans ses prunelles avaient soudain fait place à l'agacement.

Il décrocha le combiné.

— Allô ? aboya-t-il.

Au fur et à mesure qu'on lui parlait, un pli se creusait entre ses deux sourcils.

Maureen se redressa et rajusta le caftan. Ray ne lui prêtait plus la moindre attention. Apparemment, cet appel était grave...

Il se mit à poser des questions brèves. Et Maureen ne tarda pas à comprendre ce qui se passait : sa mère était malade.

Pour tout arranger, le pilote personnel de Ray, Jerry Blye, avait eu quelques ennuis mécaniques après avoir ramené Hank et Lisa chez eux. Ray l'apprit en l'appelant aussitôt.

— Débrouillez-vous pour que la réparation soit faite dans les heures qui viennent. Ou bien louez un autre appareil. Je veux que vous soyez à Aspen demain matin dès la première heure pour m'emmener au chevet de ma mère !

Il ne tarda pas à raccrocher. Puis à pas lents, il

se dirigea vers le bar et se servit un whisky bien tassé.

— Ma mère vient d'avoir un infarctus, expliqua-t-il brièvement. Hank m'appelait de l'hôpital...

— Oh! fit seulement Maureen.

Que dire d'autre? Dans un cas semblable, les mots ne semblaient pas assez forts pour exprimer ce que l'on ressentait.

Le visage dur, le regard lointain, Ray reboutonna sa chemise. Comme les moments de passion partagée semblaient loin! Si loin qu'ils paraissaient ne jamais avoir existé.

Il se laissa tomber sur le canapé, à un mètre de Maureen. Le cœur de la jeune femme s'alourdit. Ainsi, il ne désirait même plus la toucher? Bien sûr, dans de telles circonstances, c'était naturel... Mais s'il pouvait savoir à quel point elle avait envie de partager sa peine!

— Je devrais être là-bas! s'écria-t-il. Oh! Pourquoi faut-il que cela lui arrive, à elle? Je ne veux pas qu'elle soit malade, je ne veux pas qu'elle souffre!

Maureen faillit le prendre dans ses bras et le bercer comme un enfant.

— Vous ne pouvez rien faire maintenant, s'entendit-elle dire d'une voix raisonnable. Et même si vous étiez à l'hôpital, vous n'auriez pas le droit de la voir à une heure pareille. Vous seriez obligé d'attendre...

L'avait-il seulement entendue?

— Hank vous a-t-il dit si c'était très grave? demanda-t-elle. Certains infarctus sont moins sérieux que d'autres.

Elle essayait de le rassurer. En vain... Elle

éprouvait un terrible sentiment d'impuissance en le voyant aussi abattu.

— Sa femme de chambre l'a trouvée sans connaissance, expliqua-t-il. Elle a repris conscience dans l'ambulance qui l'emmenait à l'hôpital.

— C'est bon signe...

Il haussa les épaules.

— Vous essayez de me réconforter... railla-t-il.

Pourtant, il n'ironisait plus quand il lui prit la main et la porta à ses lèvres.

— Jerry viendra me chercher très tôt demain. J'irai à l'aéroport à l'aube et je vous déposerai chez vous en m'y rendant.

Il soupira.

— Ce que nous avons de mieux à faire maintenant est d'aller nous coucher. Et d'essayer de dormir... Bonne nuit, Maureen. A demain.

Sa voix était si froide... Plus rien en lui ne rappelait qu'un quart d'heure plus tôt, il l'embrassait passionnément.

La gorge serrée, Maureen se retira dans sa chambre et, après avoir ôté le caftan de Lisa, se rendit dans la salle de bains et se brossa les dents.

La glace lui renvoya le reflet d'un visage aux traits tirés.

— Ray, murmura-t-elle.

Son cœur se gonfla, tandis qu'une révélation inouïe la frappait. Ce n'était pas une attirance physique passagère qu'elle éprouvait pour cet homme, comme elle l'avait cru.

Non, elle l'aimait. De tout son cœur, de toute son âme, de toutes ses forces...

Voilà pourquoi elle avait accepté si aisément de rester avec lui cette nuit, elle la femme fière et lointaine dont le cœur et les sens étaient si difficiles à gagner.

Elle revit le visage de Ray se décomposer. Cela l'avait terriblement frappé d'apprendre que sa mère était gravement atteinte. Cet homme était capable d'aimer... Sous une apparence souvent glaciale, il avait un cœur.

Elle se mordit la lèvre inférieure au sang. Oui, elle voulait sa passion mais aussi sa douceur, sa tendresse... Pouvait-elle espérer tout cela ?

Elle frissonna. La maison était bien chauffée et pourtant, elle avait froid, soudain. Elle enfila sa robe de chambre et se mit à faire les cent pas.

Elle n'avait pas sommeil... La seule idée de se mettre au lit et d'essayer de dormir lui semblait saugrenue.

Et Ray, que faisait-il en ce moment ? Il ne dormait pas, lui non plus, elle l'aurait juré ! Cette nuit-là serait pour lui la plus longue de toutes...

— Et si je lui apportais un peu de lait chaud ? fit-elle à mi-voix.

Sans réfléchir davantage, elle se rendit à la cuisine. Elle découvrit du cacao et prépara deux tasses de chocolat.

La porte de la chambre de Ray était entrouverte. Sur le seuil, elle s'immobilisa, soudain gagnée par la timidité.

Seule une lampe de chevet éclairait la pièce. Les murs étaient peints en blanc et Maureen discerna quelques tableaux. Des toiles de Lisa ? Elle n'y voyait pas assez pour en avoir la certitude.

Les meubles étaient rares. Une table moderne aux lignes pures, quelques fauteuils... Tout cela probablement d'origine scandinave. Maureen aimait ces meubles en bois de teck aux formes stylisées.

Elle admira le tapis rouge tissé d'un motif indien. Le dessus-de-lit était lui aussi rouge sombre.

Elle aperçut enfin Ray. Il se tenait dans l'ombre, près de la fenêtre. Ses épaules étaient voûtées, sa tête basse... Comme il avait l'air seul !

Elle prit une profonde inspiration et se décida à frapper.

Il pivota lentement sur lui-même. On aurait cru qu'il revenait de très loin.

— Oui ?

— Je ne pouvais pas dormir. J'ai fait un peu de chocolat. En voulez-vous ?

Il la fixa sans mot dire puis hocha affirmativement la tête. Alors elle s'approcha de lui et lui tendit la tasse. Elle but son chocolat à ses côtés, tout en regardant le ciel. Cette nuit-là, la lune demeurait invisible. Une couche épaisse de nuages la cachait, tout comme elle cachait les étoiles qui la veille scintillaient sur un fond de velours bleu.

Maureen avala sa salive. Serait-il prudent que Ray parte le lendemain matin si le ciel était couvert ? Une tempête pouvait se lever... Par mauvais temps, il était toujours risqué d'emprunter un avion de tourisme.

Un instant, elle fut tentée de lui faire part de ses craintes. Mais elle préféra se taire. Elle savait bien, au fond d'elle-même, que Ray partirait de toute manière, quelle que soit la météo.

— Vous devriez vous allonger et tâcher de vous reposer, lui conseilla-t-elle.

Elle voulut prendre la tasse qu'il avait vidée.

Mais il la gardait en main. Elle leva vers lui un regard interrogateur.

Il la contemplait. De nouveau, il s'apercevait de son existence... Après ce coup de téléphone, elle avait eu l'impression d'être devenue transparente.

Il s'empara des deux tasses et les posa sur une table proche. Puis il l'enlaça.

— Maureen, réchauffez-moi... murmura-t-il.

Elle le regarda sans comprendre.

— Réchauffez-moi avec tout votre amour! insista-t-il.

La réaction de la jeune femme fut totalement instinctive. Elle noua ses bras autour de son cou et l'attira contre elle.

La compassion et la tendresse la submergeaient. L'homme qu'elle aimait avait besoin d'elle. Il était malheureux et elle était la seule en cet instant à pouvoir le réconforter.

Oh! Elle ne se faisait pas d'illusions! Elle comprenait qu'il se tournait vers elle parce qu'elle était là. Si une autre femme s'était trouvée à proximité, il lui aurait demandé exactement la même chose.

Comment aurait-elle pu lui en vouloir? Au contraire, elle était heureuse de pouvoir l'aider dans ces moments difficiles. Elle partageait quelque chose avec lui. C'était à la fois merveilleux et déchirant.

Ils s'étreignaient comme deux noyés... Puis, toujours enlacés, ils se dirigèrent vers le grand lit. Ray défit la robe de chambre de Maureen, puis il fit glisser à ses pieds sa longue chemise de nuit de nylon.

A son tour, elle dénoua la ceinture de son

peignoir de bain et s'aperçut qu'il ne portait rien dessous.

Ensemble, ils ouvrirent le lit et s'y blottirent. Dans leur étreinte, pas un soupçon de désir. L'attraction physique qui les avait précipités l'un vers l'autre un peu plus tôt dans la soirée avait disparu.

Ce qui les réunissait maintenant, c'était seulement un immense besoin de douceur, de compréhension. Ils faisaient bloc devant l'adversité.

Combien de temps demeurèrent-ils ainsi enlacés ? Maureen aurait été incapable de le dire.

Doucement, elle massa les muscles crispés de Ray, s'efforçant d'en relâcher la tension. Ses gestes n'étaient pas ceux d'une femme amoureuse mais d'une consolatrice.

Elle l'aimait et elle le berçait comme un enfant malade...

Lentement, il commença à se détendre... Elle continuait à le masser doucement. Et, peu à peu, le désir l'envahit lorsqu'elle prit conscience qu'ils étaient nus l'un contre l'autre : un homme, une femme au creux du même lit.

Soudain, la respiration de Ray s'éleva, égale. Il avait réussi à s'endormir.

Elle déposa un léger baiser sur son front. Il ne bougea pas. Alors elle eut un petit sourire plein de tendresse mais aussi de déception.

A vrai dire, elle aurait aimé passer cette nuit-là autrement !

Chapitre sept

Ce fut le bruit de la douche qui réveilla Maureen. Elle s'étira à la façon d'un chat, paresseusement, avant de se décider à ouvrir les yeux.

Il était encore très tôt mais l'aube était proche et le soleil ne tarderait pas à se lever. Doucement, Maureen caressa l'oreiller voisin du sien. Il avait gardé l'empreinte de la tête de Ray...

Elle soupira, rejeta les couvertures et enfila sa robe de chambre. Ray avait l'intention de partir de bonne heure et elle ne voulait pas le retarder.

Une fois dans sa propre salle de bains, elle fit sa toilette, puis elle s'habilla et rangea ses quelques vêtements dans son sac de voyage.

Ray était déjà prêt. Il téléphonait dans la salle de séjour et se contenta d'adresser à Maureen un bref signe de tête quand il l'aperçut. Elle se détourna pour ne pas lui montrer combien elle était affectée en le voyant aussi froid, aussi lointain...

Sans s'attarder dans le living, elle se rendit dans la cuisine et se mit en devoir de préparer le petit déjeuner.

— Vous n'auriez pas dû vous donner tout ce mal ! s'exclama Ray en la rejoignant. Nous aurions pris un café en ville.

Pas un baiser. Pas même un simple « bonjour » !

81

— Avez-vous pu appeler l'hôpital ? s'enquit-elle.

— Oui. Ma mère a passé une bonne nuit. Mais elle est pour l'instant paralysée du côté gauche. Jerry arrivera à l'aéroport d'Aspen d'ici une heure environ. Etes-vous prête à partir ?

Elle hocha la tête affirmativement.

— Dans ce cas, nous ne tarderons pas, déclara-t-il.

Il disparut, la laissant débarrasser la table. Quand il revint, il était vêtu d'un costume trois-pièces gris foncé. Maureen recula d'un pas. C'était à peine si elle le reconnaissait... Il faisait soudain tellement *businessman* ! Il lui rappelait son père et cela la mit terriblement mal à l'aise.

Après avoir posé leurs bagages dans le coffre de la Mercedes, il démarra. Maureen, le cœur serré, était incapable d'admirer le paysage qui semblait s'éveiller, touché par les premiers rayons du soleil.

Elle comprenait que Ray soit inquiet au sujet de sa mère. Mais était-ce une raison pour se montrer si froid à son égard ?

— Je vous téléphonerai, déclara-t-il seulement en la déposant devant sa porte.

Quelques instants plus tard, la voiture repartait...

Dans le courant de la matinée, Anne apparut à l'heure de la pause-café habituelle.

— Dis-moi tout !

Et, avec un sourire entendu :

— Avec un clair de lune comme celui de l'autre soir, tu as dû passer les heures les plus romantiques de ta vie !

Maureen rougit.

— Oui, nous avons admiré la vallée au clair de lune, admit-elle.

Anne l'examina sans mot dire.

— Maureen McClelland ! s'exclama-t-elle enfin. Tu ne vas pas t'en tirer aussi facilement ! Raconte... Il t'a embrassée ?

Et comme la jeune femme ne répondait pas, elle s'écria triomphalement :

— Oui, j'en étais sûre ! Il t'a embrassée !

— Au clair de lune, on perd toujours un peu la tête. Mais si le ciel avait été couvert, l'humeur n'aurait pas été au flirt...

Comment pouvait-elle parler ainsi ? Alors que toute sa vie, elle se souviendrait des instants merveilleux qu'elle avait passés dans les bras de Ray...

Anne eut un geste agacé.

— Je ne te crois pas ! J'ai aperçu ton Ray Gordon à deux ou trois reprises. Il n'est pas homme à se contenter d'un simple flirt !

Et, menaçant son amie du doigt :

— Même moi, épouse fidèle et amoureuse, j'ai été sensible à son impact ! Il a une telle personnalité qu'il ne peut laisser aucune femme indifférente.

Anne n'avait pas tort, admit Maureen. D'ailleurs, n'avait-il pas suffi que Ray l'embrasse pour qu'elle soit aussitôt prête à tout ?

— Tu es beaucoup trop sentimentale, déclara-t-elle en évitant le regard de son amie. Rien ne s'est passé, crois-moi. D'autant plus que sa sœur était là ! Et aussi l'ingénieur qui va installer les rails et se charger de la pose définitive de mes panneaux. Sais-tu à quoi nous avons passé la plus grande partie de notre temps ? A discuter de problèmes techniques et à prendre des mesures !

Elle ne mentait qu'à moitié. N'était-ce pas ainsi que s'était déroulé le premier après-midi ? Mais elle n'avait pas l'intention de confier à son amie qu'elle était restée ensuite seule avec Ray !

— Je l'ai vu quand il t'a ramenée ce matin. Où allait-il donc pour être aussi élégant ? Ici, tout le monde s'habille de manière décontractée et cela faisait un étrange contraste de le voir en costume !

C'était bien l'avis de Maureen...

— Il rentrait chez lui, au Texas. Sa mère vient d'avoir un infarctus.

Anne ne songea plus à questionner son amie. Elle comprit tout de suite qu'un homme dont la mère était gravement malade ne pouvait penser qu'à cela.

— C'est terrible, murmura-t-elle. Il devait être très inquiet !

— En effet... Il aurait voulu partir plus tôt mais c'était impossible. Il lui a fallu attendre son avion qui est arrivé à Aspen à la première heure ce matin.

— Evidemment, conclut Anne, avec de pareils soucis, ton week-end n'a pas pu être aussi romantique que je le pensais !

Maureen essaya de tout oublier en se jetant à corps perdu dans le travail. Elle commanda d'abord les huit cadres de bois dans lesquels s'inscriraient ses vitraux. Puis elle se mit en quête de verre coloré aux couleurs voulues. Il lui en fallait une grande quantité et elle se montra particulièrement difficile sur leur qualité.

Ensuite, elle commença à préparer les calques et, à la fin de la semaine, elle fut prête à attaquer le travail le plus délicat : la coupe du verre. Avec l'élaboration des maquettes, n'était-ce pas là que résidait l'art du verrier ?

Heureusement, elle put engager les deux jeunes filles auxquelles son mari avait inculqué les bases du métier. Nan et Sara venaient toutes deux de terminer leurs études secondaires et ne savaient trop vers quelle voie se diriger.

La proposition de Maureen les enthousiasma et elles se mirent à l'ouvrage avec ardeur, sous la supervision presque tatillonne de la jeune femme. Maureen voulait en effet que ces panneaux soient parfaits et elle ne ménageait pas ses efforts.

Ray ne lui avait fixé aucun délai pour la réalisation des vitraux mais elle voulait les terminer le plus rapidement possible. C'était comme si une force inconnue la poussait...

Et puis, quand elle travaillait, elle était tellement absorbée qu'elle en oubliait de réfléchir... Or, elle ne voulait pas penser ! Surtout pas à *lui !*

Après un mois de travail, trois des huit panneaux se trouvèrent prêts. Maureen les installa devant sa vitrine et, avec satisfaction, vit le soleil les irradier chaque matin.

Elle était fière de sa réussite. Sans fausse modestie, elle admettait que c'était bon. Très bon...

Depuis que Ray l'avait déposée à sa porte, un beau matin, elle n'avait pas eu de nouvelles de lui. Parfois, elle se demandait comment allait sa mère. Et Lisa ?

Mais en général, elle s'efforçait de repousser tous les souvenirs. Elle voulait oublier jusqu'au visage d'un homme aux cheveux pâles et aux prunelles dont le bleu glacial se faisait parfois très doux.

De temps en temps, le matin, elle s'éveillait dans un lit aux draps froissés et elle essayait d'oublier ses rêves. Des rêves trop précis !

— Mais à quoi t'attendais-tu ? se gourmandait-elle, fâchée contre elle-même.

Elle avait eu envie qu'il l'embrasse, ce soir de clair de lune... Et il était trop expérimenté pour ne pas avoir deviné son désir.

— Tu n'es pas si vilaine, ma fille ! se disait-elle avec cynisme. Il n'a pas eu besoin de faire trop d'efforts pour te prendre dans ses bras !

Ensuite, il avait fallu le réconforter et elle s'était trouvée là...

Pour lui, elle n'était rien d'autre qu'une femme sympathique et séduisante. Sans plus...

Oh ! Pourquoi avait-il fallu qu'elle tombe amoureuse de lui ?

L'été approchait et les touristes se faisaient de plus en plus nombreux. Si Aspen, l'hiver, était le paradis des skieurs, la région devenait à la belle saison un point de rencontre privilégié pour les amoureux de la montagne.

Les animaux en verre coloré créés par Maureen partaient comme des petits pains et, pour suffire à la demande, elle dut apprendre à Nan et à Sara comment les réaliser.

Certaines boutiques, voyant son succès, tentèrent de rivaliser avec elle en confectionnant des animaux à l'aide de morceaux de plastique. Mais les amateurs voyaient tout de suite la différence et étaient prêts à payer un peu plus cher pour obtenir ce que certains considéraient comme de véritables petits chefs-d'œuvre.

Elle ne tarda pas à laisser Nan et Sara fabriquer les oiseaux de toutes les couleurs, les petits chiens, les poissons fantastiques et les mini-épouvantails pleins d'humour, pour se consacrer seulement à la fabrication des panneaux de Ray Gordon.

Les deux filles devinrent bientôt très habiles. Elles adoraient ce qu'elles faisaient et vantaient avec fougue leurs réalisations aux touristes qui poussaient la porte de l'atelier.

Maureen en vint à se désintéresser totalement de la vente de ces petits objets décoratifs. Elle était bien trop contente de confier cette responsabilité à ses jeunes employées !

Un matin, elle était penchée à sa table de travail, outils en main, quand une voix féminine familière l'interpella chaleureusement :

— Maureen, bravo ! J'ai vu les panneaux en vitrail dans votre vitrine... Ils sont superbes !

Lisa — car c'était elle — semblait vraiment enthousiaste. Maureen parvint à sourire, en dépit de la vague d'émotions diverses qui déferlait en elle en revoyant la sœur de Ray.

Lisa portait une large marinière de couleur vive. Elle paraissait en pleine forme.

Maureen déposa ses outils et se leva pour lui tendre la main avec élan.

— Cela me fait grand plaisir de vous revoir, Lisa ! Comment allez-vous ? Quelle mine resplendissante... Etes-vous à Aspen depuis longtemps ?

— Depuis hier seulement. Je suis descendue en ville pour acheter un vase assorti à celui que j'avais trouvé il y a quelques mois dans la boutique située juste en face de la vôtre.

Elle désigna la poterie de Joe.

— Mais en apercevant les vitraux, j'ai

compris que le hasard m'avait conduite à votre porte ! ajouta-t-elle.

Elle se tourna vers les panneaux que traversait un rayon de soleil.

— Ils sont vraiment très réussis ! Il faut que je le dise à Ray quand il téléphonera cet après-midi.

— Il n'est pas là ? s'étonna Maureen. Oh ! Je comprends, vous êtes venue avec votre mari.

— Non, Hank et Ray arriveront seulement demain.

— Et ils vous ont laissée partir seule ?

— Vous pensez bien que non ! Une amie m'a accompagnée. C'était la condition *sine qua non* ! Mon mari et mon frère me traitent toujours comme un fragile objet prêt à se briser.

Elle s'étira.

— Et moi, je me sens plus solide que jamais ! Mais allez faire comprendre cela à un homme !

Elle se tourna vers les rayonnages chargés d'oiseaux multicolores. Une demi-douzaine de touristes les examinaient.

— Mona ! appela-t-elle. Viens faire la connaissance de l'artiste !

Une jeune femme blonde aux yeux noisette et au visage bronzé les rejoignit. Elle paraissait très sportive et tout de suite, Maureen l'imagina descendant tout schuss une pente raide, ou bien galopant à bride abattue dans une prairie.

Lisa fit les présentations :

— Mona Hastings, une amie. Et Maureen McClelland, la créatrice de ces merveilleux vitraux.

Mona avait deux poissons fantastiques à la main.

— C'est ravissant ! s'exclama-t-elle. J'ai l'in-

tention de vous en acheter au moins une vingtaine ! Je ferai des heureux avec cela...

Une vingtaine ? Cela représenterait une grosse
somme. Mais apparemment, Mona Hastings
n'avait pas de problèmes d'argent.

Elle retourna vers les rayonnages afin de faire
son choix. Nan et Sara emballèrent les objets
qu'elle désignait et Lisa, demeurée près de Maureen, examina cette dernière d'un œil critique.

— Vous avez maigri ! remarqua-t-elle. Ces
panneaux vous donnent trop de travail !

Elle fronça les sourcils.

— Ray ne vous a pas laissé assez de temps
pour les réaliser, n'est-ce pas ? Et vous passez
des heures et des heures à la tâche !

— Oui, elle travaille trop ! déclara Nan qui les
avait rejointes.

— Alors vous méritez un jour de repos, décida
Lisa. Venez donc avec nous ! Flo nous préparera
un repas pantagruélique !

Maureen pensa d'abord refuser. Retourner
dans cette maison ? Revivre des souvenirs douloureux ? A vrai dire, elle n'en avait pas le
courage.

Mais Ray ne serait pas là. Et de toute manière,
il lui faudrait aller là-bas au moment de l'installation des panneaux...

— Après tout, c'est une idée, murmura-t-elle.

— Alors nous vous emmenons ! s'exclama
Lisa. Prenez tout votre temps pour vous préparer. Pendant que vous monterez vous changer,
j'irai en face acheter mon vase.

La voiture de Maureen était au garage et le
mécanicien attendait une pièce de rechange. Elle
ne pouvait donc pas se déplacer par ses propres
moyens.

Après avoir pris une douche, elle se brossa vigoureusement les cheveux. Puis elle enfila un jean neuf et un chemisier couleur corail. Elle noua sur ses épaules un chandail de la même couleur. Il faisait très beau mais il était préférable de se méfier. Le temps se rafraîchissait si vite, en altitude !

La glace lui renvoya son image et elle hocha la tête d'un air approbateur. Lisa avait raison : elle avait perdu un peu de poids mais cela lui allait bien. Sa nouvelle silhouette affinée lui plaisait.

Par contre, elle n'aimait pas ses joues trop pâles, ni ses yeux cernés. Elle travaillait trop, c'était exact. Elle aurait dû davantage écouter ses amis qui lui conseillaient de sortir. Il n'était pas utile qu'elle consacre toutes ses journées et une bonne partie de ses nuits à la fabrication de ces panneaux !

— Oh ! Comme vous êtes jolie ! s'exclama Sara quand elle descendit. Vous devriez porter plus souvent des couleurs vives !

Maureen s'efforça de sourire. Le cri de sa jeune assistante avait été un cri du cœur... Etait-il possible, vraiment, qu'elle paraisse si grise et si terne dans ses vêtements de travail ?

Elle pinça les lèvres en se souvenant que, lors de sa première visite, Ray n'avait même pas semblé la voir. Elle lui avait paru tellement insignifiante qu'il ne l'avait pas reconnue la seconde fois !

Je vais tâcher de m'occuper un peu plus de moi ! résolut-elle en tapotant de la main ses cheveux qui tombaient maintenant en vagues souples sur ses épaules.

Lisa revenait déjà.

— Le potier a besoin de voir l'autre vase afin

de me faire exactement le même. Il faut que je téléphone à Hank en lui demandant de l'apporter demain.

Mona avait déjà pris place derrière le volant de la Mercedes.

— Ah ! Je voudrais bien trouver un homme qui me gâterait autant qu'Hank gâte Lisa ! soupira-t-elle.

Elle éclata de rire.

— Il ne veut même pas qu'elle conduise ! Vous imaginez cela, Maureen ?

— En effet, il est aux petits soins pour sa femme, répondit-elle d'une voix neutre.

Les émotions la submergeaient. La dernière fois qu'elle avait pris place dans cette voiture, Ray était au volant. Ils venaient de passer la nuit dans les bras l'un de l'autre, très chastement. Et le lendemain matin, il l'avait traitée avec la dernière des froideurs, comme s'il avait hâte de se débarrasser d'elle ! Bien sûr, elle comprenait qu'il soit ravagé d'inquiétude pour sa mère. Etait-ce cependant une raison pour l'ignorer de la sorte ? Après ces moments où elle s'était sentie si proche de lui ?

Son émotion fut à son comble quand elle revit cette maison dans laquelle elle n'avait pas remis les pieds depuis maintenant plus d'un mois.

Flo leur ouvrit la porte et elle se sentit devenir cramoisie. Flo *savait* qu'elle avait passé la nuit avec Ray, puisque son propre lit n'était pas défait ! Elle aurait dû avoir la présence d'esprit de l'ouvrir. Mais elle était tellement troublée que ce détail ne lui était pas venu à l'idée.

Sa gêne disparut quand Flo l'accueillit avec chaleur. Apparemment, l'employée de maison avait l'habitude de voir les femmes se succéder auprès de son maître... Peut-être même aurait-elle trouvé bizarre de trouver le lit de Maureen ouvert ?

— Buvez ce que vous voulez ! dit Lisa en se précipitant tout de suite vers le téléphone. Et donnez-moi un xérès pendant que je téléphone à Hank.

Mona le lui apporta, puis elle prit un Martini. Quant à Maureen, elle se versa un peu de chablis au fond d'un verre à pied.

Déjà, Lisa était en grande conversation avec son mari. Elle lui donna toutes ses instructions concernant le vase, puis elle ajouta :

— Quand tu verras Ray, dis-lui que j'ai vu trois des panneaux en vitrail chez Maureen. Ils sont absolument magnifiques ! J'ai invité Maureen à déjeuner et nous allons ouvrir une bouteille de champagne pour fêter cela ! Oh ! Ray est là ? Bien sûr, passe-le-moi...

Elle attendit quelques instants avant d'être mise en communication avec son frère.

— Ils étaient en train de déjeuner ensemble, expliqua-t-elle entre-temps à ses amies. Ils voudraient arriver à terminer leur travail afin de ne pas avoir un seul dossier à apporter ici !

Maureen contempla son verre de chablis. La pensée que Ray allait parler à sa sœur la troublait infiniment. Et pourtant, ce ne serait qu'une voix ! Une voix lointaine... Une voix qu'elle n'entendrait même pas.

— Mais oui, mais oui ! s'exclama Lisa. Je vais très bien, Ray ! Ne t'inquiète donc pas pour moi. Tu es tout aussi « mère-poule » que mon mari, je t'assure !

— ...

— Oui, elle est là. J'ai estimé qu'elle travaillait trop et qu'elle avait besoin de se détendre un peu... Quoi ? Eh bien, oui, entendu. J'essaierai...

Soudain, une expression amusée se lisait sur son visage mobile.

— Mon cher frère, tes désirs sont des ordres ! s'exclama-t-elle en riant. Je ferai de mon mieux. A bientôt !

Elle raccrocha et secoua la tête.

— Ray a parfois de drôles d'idées ! fit-elle avec amusement.

Elle ne donna pas d'autre explication.

— Pas de problème au ranch ? s'enquit Mona. Est-ce que ton frère a pensé à demander de mes nouvelles ?

Le cœur de Maureen se contracta bizarrement en entendant Mona parler ainsi. Elle avala sa salive et s'efforça de refouler la vague de jalousie qui montait...

Heureusement, elle ne serait pas là pour voir Ray et Mona ensemble demain. D'autant plus que la lune serait pleine et que le temps était au beau.

— Le séduisant Ray Gordon a-t-il toujours autant de succès ? interrogea encore Mona.

Elle haussa les épaules.

— Un moment donné, j'ai cru qu'il s'intéressait à moi. Nous sommes sortis plusieurs fois ensemble... Mais il ne m'a pas donné signe de vie au cours de ces dernières semaines !

Elle soupira.

— La concurrence est dure...

— Ce n'est pas cela, interrompit gentiment Lisa. Le mois dernier, Ray a passé tous ses moments libres avec maman.

— Oui, mais elle est maintenant rentrée chez

elle et une infirmière la veille nuit et jour, lui rappela Mona.

Et, pinçant les lèvres :

— Ce n'est pas mon genre de relancer les hommes ! Je n'ai pas osé lui téléphoner...

Elle adressa un sourire à Lisa :

— Tu comprends maintenant pourquoi j'ai tant insisté pour venir passer cette semaine avec toi à Aspen ?

Maureen était surprise de l'entendre parler si ouvertement. Jamais elle n'aurait étalé ainsi ses sentiments les plus secrets !

Mona se tourna vers elle et, de but en blanc :

— Que pensez-vous du beau Ray Gordon ?

Quelle question !

— Il est en effet très séduisant, fit Maureen d'une voix unie. Je vous souhaite bonne chance...

Mona serait une parfaite épouse pour Ray. Elle lui donnerait des enfants solides et sans problème. N'était-elle pas une femme sportive, équilibrée, pleine d'allant et d'optimisme ?

Flo ne tarda pas à annoncer que le déjeuner était prêt. Elle avait mis la table sur la terrasse, d'où l'on découvrait une vue merveilleuse sur la vallée.

Mona leva les bras au ciel et, avec enthousiasme :

— Que ne donnerais-je pas pour vivre dans cette maison ! Lisa, il faut absolument que tu m'aides à faire la conquête de ton frère !

Lisa sourit.

— Je refuse de me mêler de cela ! déclarat-elle. Ray est assez grand pour savoir ce qu'il veut.

Et, adroitement, elle détourna la conversation

et se mit à parler du ranch texan où se trouvaient Ray et Hank en ce moment.

Maureen l'écoutait de toutes ses oreilles.

— Et là-bas, vous habitez tous la même maison ? s'enquit-elle.

D'après la description de Lisa, celle-ci paraissait assez grande pour abriter plusieurs familles nombreuses.

— Seigneur, non ! s'exclama Lisa. J'adore Ray mais j'estime qu'il vaut mieux être chacun chez soi. Et c'est lui-même qui nous a fait construire une ravissante demeure à peu de distance de la sienne. Il nous l'a offerte en cadeau de mariage. Quant à lui, il vit seul en compagnie d'une gouvernante, une femme d'un certain âge qui l'a connu enfant. Il aurait voulu que maman vienne s'installer chez lui mais elle a refusé. Elle préfère rester en ville. Et son appartement ne se trouve pas très loin de l'hôpital où elle doit retourner chaque semaine pour des examens.

— Est-elle toujours paralysée ? s'enquit Maureen.

— A part une légère raideur au côté, elle va beaucoup mieux. Les médecins espèrent qu'avec le temps cela disparaîtra. Elle a déjà beaucoup récupéré. Oh ! C'est une femme remarquable, je suis sûre que vous vous entendrez bien avec elle.

Il y a peu de chance pour que je fasse un jour sa connaissance, songea Maureen avec amertume.

Lisa continuait à parler du ranch. Elle raconta la découverte du pétrole...

— D'autres, à la place de Ray, auraient complètement laissé tomber les activités agricoles et l'élevage pour creuser partout. Mais lui a tenu à ce que le ranch continue à fonctionner normalement. Voilà pourquoi il a engagé Hank...

Elle s'étira voluptueusement.

— Et comme il a bien fait! s'écria-t-elle.

Toutes trois continuèrent à bavarder devant le thé glacé que leur avait apporté Flo. Pour la première fois depuis longtemps, Maureen se détendait...

Elle s'aperçut avec stupeur qu'il était déjà quatre heures de l'après-midi.

— Il est tard! dit-elle en se levant. Il faut que je songe à rentrer...

Elle se tourna vers Lisa, s'attendant à ce qu'elle propose de la ramener en compagnie de Mona. Au lieu de cela, la jeune femme s'exclama avec pétulance :

— Oh! Vous avez bien le temps! Il y a si longtemps que nous ne nous sommes vues...

Elle glissa son bras sous le sien et l'entraîna dans la salle de séjour.

— Rentrons, le temps se rafraîchit. Nous allons allumer un grand feu dans la cheminée...

Mona se chargea d'enflammer les brindilles. Puis elle se laissa tomber dans un profond fauteuil et contempla d'un air songeur le feu qui commençait à craquer dans l'âtre.

— Cela me rappelle Saint-Moritz... J'y suis allée skier cet hiver et tous les soirs, nous faisions du feu.

Elle eut un demi-sourire.

— Tout ce qui manque, c'est un bon grog. Et aussi le moniteur de ski! Je t'ai écrit à son sujet, Lisa, t'en souviens-tu ? Il faut que je te montre sa photo...

— Je me rappelle en effet avoir reçu une longue lettre de toi, dans laquelle tu ne tarissais pas d'éloges sur ton beau moniteur. Tu étais partie en Suisse un peu sur un coup de tête, non ? Du jour au lendemain...

Mona pinça les lèvres.

— Tout cela, à cause de ton frère ! On ne le voyait plus qu'avec cette Gloria et je me suis dit que je ferais mieux de partir en attendant qu'il s'en lasse. En général, cela va assez vite ! Les passions de Ray Gordon ne sont que des feux de paille. Et Eric m'a aidée à passer agréablement le temps !

Elle se leva d'un bond.

— Je vais aller chercher sa photo. Je dois l'avoir dans mon sac...

Elle disparut et Lisa se mit à rire.

— Pauvre Mona ! soupira-t-elle. Elle cherche toujours l'âme sœur et jusqu'à présent, elle n'a pas eu beaucoup de chance... Depuis qu'elle est adolescente, elle nourrit pour Ray une passion sans retour. Chaque fois qu'elle fait la connaissance d'un homme, elle ne peut s'empêcher de le comparer à mon frère. Et j'avoue que la comparaison est rarement à l'avantage de l'autre !

Elle eut un geste de la main.

— Elle est sortie à plusieurs reprises avec Ray. Mais il la considère seulement comme une bonne camarade. Et je ne crois pas que cela change un jour...

Son regard demeurait fixé sur la route sinueuse qui conduisait à la maison. Soudain, son visage s'éclaira.

— Enfin ! s'exclama-t-elle.

Maureen tourna la tête vers la fenêtre et vit une voiture noire s'arrêter sous la terrasse. Quelques instants plus tard, Ray et Hank en descendaient...

Jerry, le pilote, se chargea de leurs valises. Il les déposa sur le seuil et repartit presque immédiatement. Déjà, Lisa était dans les bras de son mari. Maureen se leva. Ses jambes la portaient à peine...

Ray pénétra dans la salle de séjour et, tout de suite, leurs yeux se rencontrèrent.

— Bonjour, Maureen...

Elle pressa ses mains contre sa poitrine, comme pour calmer les battements fous de son cœur.

— Ray ! s'écria Mona qui revenait au salon. Quelle surprise ! Comme je suis contente que vous ayez pu venir plus tôt !

Elle se précipita dans ses bras. Maureen détourna la tête.

— Vous auriez dû demander au pilote de m'attendre, dit-elle à Lisa qui entrait à son tour dans le living-room, suspendue au bras de son mari.

— Jerry était pressé de retourner à l'aéroport.

— Mais ainsi il m'aurait déposée à Aspen. Cela vous aurait évité un voyage...

— Ne dites pas que vous voulez partir parce que nous arrivons, Maureen ! fit Ray.

Il était maintenant à côté d'elle. Elle leva les yeux vers lui et les battements de son cœur s'accélérèrent encore quand il lui sourit. Mais elle nota presque au même moment une marque de rouge à lèvres sur sa joue. Le rouge à lèvres de Mona... Et elle eut un mouvement de recul.

— Je dois rentrer, déclara-t-elle d'un ton froid. Je ne peux pas m'absenter aussi longtemps...

Il fronça les sourcils.

— Laissez-moi quelques minutes de repos et je vous ramènerai moi-même.

Il se dirigea vers le bar et Mona le suivit. On l'aurait crue attirée comme par un aimant...

Maureen tenta de retrouver ses esprits. Soit, ils s'étaient embrassés. Mais qu'y avait-il là de si surprenant ? Ne se connaissaient-ils pas depuis longtemps ?

Elle les entendit rire ensemble et son cœur s'alourdit.

— Maureen ?

Ray se tenait devant elle. Il lui tendait un verre de chablis... Il se souvenait donc de ses goûts ? Cela la rendit absurdement heureuse et elle le remercia en souriant chaleureusement.

Il s'assit à ses côtés sur le canapé, un peu de biais, occupant ainsi deux places sur trois. Mona, qui s'apprêtait à prendre place près d'eux, dut s'installer sur un autre canapé, entre Lisa et Hank.

— Alors il paraît que vous avez déjà terminé trois panneaux sur huit ? s'enquit-il.

Son bras était posé sur le dossier du siège. Il ne la touchait pas, mais elle se sentait aussi troublée que s'il l'avait prise par les épaules. Même à distance, il réussissait à l'émouvoir physiquement.

— Oui, trois sur huit, intervint Lisa. Et ils sont vraiment très beaux. Maureen est une artiste extraordinaire... Quand tu as parlé pour la première fois de poser des vitraux ici, Ray, j'ai craint qu'ils ne s'imposent trop par leurs couleurs. Maureen a su éviter cet écueil. Sa réalisation est une merveille de goût ! Elle s'en tient au

brun, au bleu, avec de rares touches de rouge et
de jaune...

Ses yeux s'agrandirent.

— Mais vous avez repris les teintes de mes
tableaux !

— Et celles de la vallée, ajouta Maureen. Cela
me semblait aller de soi.

— Vous avez raison, assura Lisa.

Elles échangèrent un regard de connivence.
Toutes deux étaient artistes et se comprenaient à
demi-mot.

— Je meurs de faim, déclara soudain Hank.
J'espère que Flo a préparé un succulent dîner... A
midi, nous nous sommes contentés d'un
sandwich.

Lisa éclata de rire.

— Bien peu, en effet, pour calmer ton solide
appétit !

Elle se leva.

— Je vais jeter un coup d'œil à la cuisine.
Peut-être Flo pourra-t-elle servir le repas plus tôt
que d'habitude ?

Et, se tournant vers Maureen :

— Vous restez dîner avec nous !

D'un geste, elle arrêta ses objections :

— J'y tiens !

Maureen adressa un sourire presque timide à
Ray :

— Votre mère va beaucoup mieux, m'a appris
Lisa.

— Oui, nettement. Et chaque jour son état
s'améliore.

Lisa revint presque immédiatement :

— Le dîner sera servi dans cinq minutes ! Flo
a fait des prouesses !

C'était la vérité. Après une salade composée,

ils dégustèrent un soufflé au crabe absolument excellent. Et Flo apporta ensuite un gâteau au chocolat qui arracha des cris d'admiration à Mona.

Cette dernière mangeait avec beaucoup d'appétit. Mais si c'était une sportive entraînée, elle ne devait pas avoir de mal à dépenser les calories superflues...

— Il faut que vous m'emmeniez danser ce soir, Ray ! décida-t-elle. Il paraît qu'il y a une nouvelle discothèque à Aspen. La connaissez-vous, Maureen ?

— Non, mais j'ai entendu dire, en effet, qu'elle était très bien.

— Vous irez sans nous ! s'exclama Hank. Lisa ne peut pas danser en ce moment et moi je suis fatigué.

— Moi aussi, dit Ray. Pour la discothèque, ce sera un autre jour, Mona.

Ils se levèrent de table et regagnèrent la salle de séjour, où Flo avait déjà apporté le café. Mona fit le service, puis, sa tasse à la main, elle marcha d'un bout à l'autre de la pièce comme un animal en cage.

— Si vous ne voulez pas sortir, nous allons nous en trouver réduits à jouer aux cartes ! Il faut tout de même faire quelque chose !

Ray haussa les épaules.

— Nous pouvons tout simplement nous détendre et bavarder.

— Moi, j'ai des tonnes d'énergie à dépenser !

— Les hommes sont fatigués, intervint Lisa. Ils ont eu une dure semaine.

Mona leva les yeux au ciel.

— Dans quel état seront-ils dans dix ans ?

Ray éclata de rire.

— Je vois très bien Hank entouré d'une demi-douzaine d'enfants en bas âge...

Lisa s'empara d'un jeu de cartes.

— Vous faites un gin-rummy, Mona ? Et vous, Maureen, êtes-vous tentée ?

Elle secoua négativement la tête.

— Non, merci. C'est à peine si je sais reconnaître un carreau d'un trèfle !

Elle consulta sa montre.

— Je devrais songer à rentrer... Jake pourrait-il me reconduire ?

Ray se leva.

— Je vous ramène à Aspen.

Mona abandonna aussitôt ses cartes.

— Je vous accompagne. Ainsi, Ray, vous ne reviendrez pas seul...

— J'ai plusieurs choses à voir en ville, coupa-t-il d'un ton ferme. Restez avec Lisa et tâchez de gagner ce gin-rummy...

Sans enthousiasme, Mona s'empara de ses cartes. Maureen prit congé et suivit Ray au-dehors. Un demi-sourire détendait ses lèvres. Soudain, elle était de bonne humeur !

Chapitre huit

— Pourquoi souriez-vous ? demanda Ray en s'installant derrière le volant de la Mercedes.

— L'ambiance me semble assez... survoltée.

Il éclata de rire.

— Oh ! Je connais Mona. Et j'en veux à Lisa de l'avoir amenée ici... Elle va me gâcher ma semaine ! Heureusement, je parviens en général à la tenir à distance. Je ne suis plus un gamin !

Elle l'étudia du coin de l'œil. Non, il n'était plus un gamin, en effet ! Mais un homme fait, un homme débordant de virilité, de vitalité...

— Plaignez-vous ! s'exclama-t-elle. Les jolies filles se jettent à vos pieds et vous les méprisez ?

Il crispa les mâchoires.

— Tout cela, parce que j'ai eu la chance de trouver du pétrole sur mes terres ! L'argent est un vrai miroir aux alouettes !

Il croyait donc que sa fortune était la seule raison de ses succès ?

— Je compatis ! se moqua-t-elle. Vous devez être très malheureux au milieu de vos admiratrices ! Mais vous survivrez à leurs assauts, vous verrez !

— Merci ! Vous me rassurez...

Il posa sa main sur les siennes.

— Cessons de plaisanter. J'en ai vraiment plus qu'assez de Mona et de ses semblables. J'espérais passer une semaine tranquille après

103

les moments difficiles que je viens de vivre. Tout d'abord la maladie de ma mère, ensuite des problèmes d'affaires qui m'ont obligé à me rendre en Europe. Et enfin, quand je suis rentré au ranch, je me suis trouvé littéralement noyé par les papiers administratifs à remplir. On dirait que le gouvernement crée chaque jour de nouveaux formulaires !

— Mona est peut-être un peu envahissante mais elle est très gentille, au fond.

— Je ne dis pas le contraire. Elle serait charmante si elle n'éprouvait pas le besoin de s'agiter sans cesse.

— Elle aime se dépenser physiquement.

— Moi aussi. Mais je n'ai pas envie de passer une soirée frénétique sur la piste d'une discothèque ! Ni de galoper toute une matinée ni de jouer au tennis pendant des heures ni de...

Il s'interrompit brusquement et haussa les épaules.

— Oh ! Je survivrai bien, comme vous dites...

Il lui lâcha la main et rejeta ses cheveux en arrière d'un geste las.

— Faites appel aux troupes de réserve, suggéra Maureen.

— Que voulez-vous dire ?

— D'après la conversation que nous avons eue cet après-midi, j'ai compris que si Mona vous préférait à tous, elle ne répugnait pas à se distraire avec d'autres quand... euh... quand vous n'étiez pas disponible. Ne pourriez-vous pas inviter un ami à se joindre à vous cette semaine ? Un homme dont l'énergie serait du niveau de celle de Mona, bien entendu !

— Que voilà une excellente idée ! Mais qui

104

pourrait remplir ce rôle ? J'ai beau chercher, je ne vois personne...

— Tom Murphy ? suggéra Maureen.

Ray arrêta sa voiture devant l'atelier de la jeune femme.

— Vous êtes géniale ! s'exclama-t-il. Je vais tout de suite appeler Tom... Me permettez-vous de téléphoner de chez vous ?

— Naturellement.

Il avait soudain l'air d'un petit garçon qui prépare une bonne farce. A cet instant-là, il ne ressemblait guère à l'homme glacial et hautain qui avait une fois pénétré dans cette boutique, sans même lui faire l'aumône d'un vrai regard !

Ray obtint presque immédiatement la communication.

— Lisa est chez moi avec une amie, expliqua-t-il après les salutations d'usage. Or cette dernière adore danser, et nul n'est très chaud en ce moment pour l'accompagner dans les discothèques d'Aspen. Cela te tente-t-il ?

Il couvrit le récepteur de sa main et, à l'adresse de Maureen, chuchota :

— Tom a autrefois remporté un concours de danse. Je crois lui avoir jeté l'appât qui le décidera...

Il reprit l'écouteur.

— Oui ? Que dis-tu ? Hank est là, lui aussi. Tu veux savoir pourquoi je n'ai pas envie de m'occuper de Mona ? Parce que tout mon temps est pris par Maureen, voyons ! Tu te souviens d'elle ?

Il fronça les sourcils en écoutant la réponse de Tom. Ses lèvres s'étaient légèrement pincées. Puis il haussa les épaules.

— Ecoute, ne demande pas trop ! Je te laisse Mona, ce n'est pas si mal !

Il ne tarda pas à raccrocher.

— Apparemment, vous avez produit sur Tom une impression inoubliable, dit-il d'un ton presque accusateur.

Son visage se radoucit.

— Il peut se libérer. Il a l'intention de venir demain, à l'heure du déjeuner.

Et, s'inclinant comiquement :

— Votre idée était excellente, madame McClelland. Maintenant, montrez-moi les vitraux terminés...

Elle alluma les lampes qui les éclairaient par-derrière et, avec une certaine inquiétude, surveilla sa réaction. Le visage impénétrable, il les examina l'un après l'autre, avançant, reculant...

— Lisa avait raison, déclara-t-il enfin. Ils sont magnifiques. Mais comment avez-vous réussi à obtenir cet effet de fluidité ? Quand je bouge, ils ont l'air de se mouvoir, eux aussi.

— C'est une question de couleur. De nuances dans la même couleur, plutôt...

Elle était heureuse qu'il ait remarqué cela. Elle s'était donné tant de mal pour réussir justement ce qu'il appelait un « effet de fluidité ». Le terme était parfaitement bien trouvé, devait-elle reconnaître.

— Voulez-vous prendre une tasse de café avant de rentrer ? proposa-t-elle.

Il accepta sans se faire prier et la suivit dans la salle de séjour. Elle hésita un instant avant d'allumer la lumière. Cette pièce allait lui paraître bien simple à côté de sa luxueuse maison !

Il laissa son regard errer sur les coussins colorés et les plantes vertes qui faisaient de ce living-room un véritable jardin.

— Comme c'est joli ! assura-t-il. Votre maison

vous ressemble : elle est aussi chaleureuse et accueillante que vous !

Elle le regarda avec surprise. Il la voyait donc ainsi ?

La pièce était relativement grande. Mais maintenant que Ray s'y trouvait, elle semblait être devenue minuscule. Maureen avait l'impression de manquer d'oxygène...

Elle avala sa salive et s'enfuit vers la cuisine.

— Je vais préparer le café, murmura-t-elle.

Elle continuait à se comporter comme une adolescente à son premier rendez-vous et cela la rendait furieuse contre elle-même.

Après avoir mis l'eau à chauffer, elle disposa sur une assiette les tranches du cake maison qu'Anne lui avait apporté dans la matinée. Déjà, l'eau bouillait. Elle la versa dans la cafetière et retourna dans la salle de séjour.

Sa première intention fut de prendre place sur un fauteuil, à une distance raisonnable de Ray. Mais il l'en empêcha :

— Venez donc vous asseoir sur le canapé, près de moi.

Elle obéit. Son cœur battait très fort et elle était intensément consciente de sa proximité.

— Vous avez perdu du poids, remarqua-t-il après quelques instants de silence.

— Vous aussi.

Il passa la main sur son front.

— Ces dernières semaines ont été dures...

— Et moi j'ai beaucoup travaillé.

— Je m'en rends compte. Pourquoi vous êtes-vous dépêchée ? Vous avez tout le temps de terminer ces panneaux.

Oui, pourquoi s'était-elle ainsi épuisée à la

tâche ? Oh ! Elle le savait bien... C'était pour éviter de trop penser. A lui...

Elle eut un geste de la main.

— J'avais hâte de voir ce qu'ils donneraient, une fois finis, prétendit-elle.

Ray se pencha pour poser sa tasse sur une table basse. Puis il se tourna vers elle et, sans un mot, l'attira contre lui. Tout de suite, leurs lèvres se rencontrèrent dans un baiser plein de fougue.

Enfin, il releva la tête et déposa une multitude de légers baisers sur ses paupières closes.

— Il y a si longtemps... murmura-t-il.

Oui, une éternité s'était écoulée depuis qu'ils s'étaient trouvés dans les bras l'un de l'autre !

Elle eut un léger gémissement et s'arqua contre lui. Avec fièvre, il lui caressa le dos, les épaules, puis ses mains vinrent emprisonner ses seins.

— Maureen, vous me rendez fou... Je ferais mieux de partir maintenant, sinon je sens que je resterais toute la nuit !

Il l'embrassa une dernière fois. Elle s'abandonnait, en proie à un désir inextinguible. Mais, fermement, il dénoua ses bras. Puis il la recouvrit du plaid qui était plié au bout du canapé.

— Dormez bien, joli chaton... La prochaine fois que je vous verrai, je ne veux pas que vous ayez les yeux cernés comme aujourd'hui !

Sur ces mots, il disparut sur la pointe des pieds. Maureen se blottit sous le plaid. Elle n'avait pas envie de bouger... Et comme elle était fatiguée ! Malgré elle, ses yeux se fermèrent.

Quand elle ouvrit les yeux, l'aube se levait. Elle regarda autour d'elle avec stupeur. Mais que faisait-elle ici et non dans sa chambre ?

Elle revit Ray déposer un dernier baiser sur ses lèvres avant de s'éclipser... Pourquoi était-il parti ? Et aurait-elle l'occasion de le revoir cette semaine ?

Nan et Sara n'allaient pas tarder. Elle n'avait pas le temps de rêver. Il fallait qu'elle aille prendre une douche, qu'elle mette ses vêtements de travail et qu'elle reprenne ses outils...

La matinée se déroula comme à l'ordinaire. Anne apparut vers dix heures. Elle paraissait très pressée.

— Je n'ai pas le temps de boire un café avec toi ce matin ! Joe va mettre toute une série de vases au four ; il veut les décorer mais il manque de peinture. Je suis chargée d'aller renouveler son stock.

Apparemment, Anne n'avait pas vu la Mercedes la ramener hier soir ! Et cela valait mieux... Maureen n'avait aucune envie de raconter à son amie ce qui s'était passé la veille.

Anne venait à peine de partir que la sonnerie du téléphone résonna.

C'était Lisa.

— Ray avait un rendez-vous d'affaires ce matin. Il m'a demandé de vous téléphoner mais je n'arrivais pas à être seule pour le faire ! J'ai enfin réussi à envoyer Mona et Hank aux écuries...

Elle se mit à rire.

— Ray m'a raconté ce que vous aviez comploté tous les deux pour occuper Mona. Quelle bonne idée ! Tom et elle sont parfaitement bien assortis... Je me demande quel est celui qui se fatiguera le premier !

— Les paris sont ouverts.

— Votre voiture est-elle réparée, Maureen ?

— Pas de nouvelles du garagiste. Il m'appellera dès que la pièce sera livrée. Et mise en place !

— Dans ce cas, Jerry passera vous prendre dans une heure. Ainsi, vous serez ici à temps pour déjeuner avec nous.

— Ce n'est pas possible ! protesta Maureen. Déjà, hier, j'ai à peine travaillé ! Je ne peux pas m'absenter tous les jours, je ne terminerai jamais les vitraux.

— Il faut que vous veniez, Maureen ! Sinon Mona va s'accrocher à Ray sans s'occuper de Tom ! Après tout, c'est vous qui avez eu l'idée de cette mise en scène. Vous devez participer à sa réussite !

Sa voix se fit plaintive.

— Aidez-moi, Maureen ! Je m'en veux d'avoir invité Mona sans réfléchir plus loin que le bout de mon nez ! J'aurais dû savoir que sa présence allait agacer mon frère ! Et il a vraiment besoin de se reposer. Il vient de passer un mois très difficile !

Maureen avait tellement envie de revoir Ray qu'elle capitula.

— Entendu. Je me prépare et je confie la boutique à mes deux jeunes assistantes.

— Tu exagères, Maureen, se dit-elle tout haut un peu plus tard, alors qu'elle choisissait fébrilement sa tenue. Tu te conduis comme... comme une évaporée ! Tu oublies que tu es veuve ! Une veuve de vingt-sept ans, déjà...

Une fois prête, elle attendit l'arrivée du pilote avec une impatience difficile à maîtriser.

Il apparut à l'heure dite, au volant du véhicule

noir dans lequel Ray et Hank étaient venus la veille.

— Je suis désolée de vous donner un travail supplémentaire, lui dit-elle en s'asseyant près de lui. Mais ma voiture est en panne...

Il lui sourit.

— Oh, cela fait partie de mes fonctions ! Pilote et chauffeur...

Ray l'accueillit à la porte.

— Je suis heureux que vous ayez pu vous arranger pour venir... Voulez-vous prendre un cocktail avec nous ?

Il la guida vers la salle de séjour en la tenant par la taille. Avant d'y pénétrer, il l'attira contre sa poitrine.

— Tout le monde va nous voir ! protesta-t-elle.

— C'est le but de l'opération. Ainsi, pas plus Tom que Mona n'auront l'idée de se mettre entre nous !

Il lui prit les lèvres et quand il releva enfin la tête elle dut s'accrocher à lui tant ses jambes étaient faibles.

— Après cela, pas de cocktail... balbutia-t-elle. Un peu de chablis suffira !

— Ah oui !

Hank et Lisa paraissaient franchement s'amuser. Par contre, Tom et Mona avaient peine à faire contre mauvaise fortune bon cœur.

— Vous vous souvenez de Tom Murphy, n'est-ce pas, Maureen ? lui demanda Ray avec aisance. Il a pu s'arranger pour venir passer cette semaine avec nous.

Cette semaine ? Elle avait cru qu'il s'agissait seulement d'un déjeuner ! Ray s'attendait-il à ce qu'elle vienne tous les jours ici ?

Tom lui serra amicalement la main.

— J'ai été stupide! J'aurais dû profiter du mois d'absence de Ray pour vous assiéger...

Il eut un long soupir de regret et Maureen ne put s'empêcher d'éclater de rire.

Mais Tom était un homme de parole et ce fut Mona qu'il couvrit d'attentions. Peu à peu, elle se dégela. De toute évidence, elle acceptait sa compagnie comme un mal nécessaire. Et avec l'optimisme qui était chez elle une seconde nature, elle s'efforçait déjà de tirer le meilleur parti des événements.

Maureen se souvint alors que Mona avait raconté être partie à Saint-Moritz sur un coup de tête. Quand Ray ne songeait qu'à une certaine Gloria...

Que suis-je, moi, pour Ray? se demanda-t-elle. Une autre Gloria?

C'était vraisemblable. Mais sur l'instant, elle l'admettait... Elle voulait profiter du moment présent sans se faire de souci pour le lendemain.

Après déjeuner, Lisa décida d'aller se reposer.

— Je te tiendrai compagnie, dit Hank.

— Et que penseriez-vous d'une promenade à cheval? demanda Ray à ses invités.

Mona, Tom et Maureen acquiescèrent avec enthousiasme. Ray téléphona aussitôt à Jake en lui demandant de préparer quatre chevaux; ils se rendirent aux écuries.

Les sentiers étaient étroits et les cavaliers durent partir à la suite les uns des autres. Bientôt, Ray, qui conduisait la promenade, s'arrêta en haut d'une colline d'où l'on jouissait d'un merveilleux point de vue.

C'était tellement beau que les mots s'avéraient inutiles. Du moins, Maureen avait cette impression. Mais, tout près d'elle, Mona et Tom ne cessaient de bavarder...

Ray eut un geste agacé ; il aurait, lui aussi, préféré admirer le paysage en silence.

Ils ne tardèrent pas à rentrer. Maureen mit pied à terre et confia ses rênes à Jake. Le setter irlandais fauve qu'elle avait vu le premier jour se précipita vers elle et lui fit fête. Elle le caressa puis se tourna vers Ray :

— Merci pour cette promenade. J'ai été heureuse de découvrir des endroits où la nature est restée intacte. Cela devient de plus en plus difficile à trouver aux environs d'Aspen !

Il l'enveloppa d'un coup d'œil plein de chaleur et elle se demanda comment elle avait jamais pu lui trouver le regard froid...

— Vous restez dîner, déclara-t-il.

Ce n'était pas une question, ni même une invitation. C'était un ordre...

— Je ne peux pas. Et ma boutique ?

— Téléphonez et voyez si tout va bien. Vos deux jeunes assistantes sont tout à fait capables de vendre les petits animaux en verre coloré, m'a dit Lisa.

— Mais je ne peux pas les laisser sans surveillance.

Il lui prit la main.

— Juste pour aujourd'hui, ma chérie ?

Elle aurait voulu résister. Mais il suffisait qu'il la touche et aussi qu'il l'appelle « ma chérie » pour qu'elle soit prête à dire « oui » à tout.

— Dîner ? Dans cette tenue ? demanda-t-elle en montrant son jean. Je sens le cheval ! Personne ne voudra s'asseoir près de moi, ajouta-t-elle en riant.

— Lisa vous prêtera un caftan... Il vous est déjà arrivé de porter les vêtements de ma sœur !

Leurs regards se rencontrèrent. C'était la première fois qu'il faisait allusion à cette fameuse soirée ; elle sentit ses jambes se dérober sous elle.

A peine avaient-ils regagné la maison que Ray fit part à Lisa du problème de Maureen.

— Bien sûr, venez donc choisir l'un de mes caftans, Maureen ! Et vous pourrez utiliser la salle de bains de Mona.

Elle apprit ainsi que Tom dormait dans le dressing-room de Ray. Elle s'était demandé comment s'arrangeaient les invités, étant donné que les chambres d'amis étaient seulement au nombre de deux.

— Lequel voulez-vous ? demanda Maureen.

— Oh ! Celui-ci...

Elle désigna un caftan en soie verte orné de fils d'or.

— Eh bien, prenez-le ! s'exclama Lisa en riant.

Maureen alla ensuite se doucher dans la salle de bains de Mona. Elle enfila la longue robe ample et se brossa les cheveux jusqu'à ce que leurs chauds reflets cuivrés apparaissent.

Elle était en train de se mettre du rouge à lèvres quand Mona la rejoignit. Elle redoutait un peu cette confrontation mais Mona se montra charmante.

— Comment comptez-vous passer la soirée ? s'enquit-elle. Tom et moi avons envie de faire toutes les discothèques d'Aspen !

Discrètement, Maureen voulut se retirer. Elle était déjà sur le seuil de la chambre quand Mona l'appela :

— Attendez, Maureen ! Je voudrais vous parler de quelque chose...

Hésitante, elle s'immobilisa. Ce préambule ne lui disait rien de bon.

— Je ne vous en veux pas du tout, assura Mona. Pour Ray, je veux dire... J'ai toujours su que je n'avais aucune chance mais on espère quand même, n'est-ce pas ?

Elle sourit.

— J'ai fait sa connaissance quand j'avais quatorze ou quinze ans. Pour la gamine que j'étais alors, il représentait le... le Prince Charmant !

Et, avec un haussement d'épaules.

— L'amour, pour lui, est un jeu. Conquête, puis rejet. Il me fait penser à un renard enfermé dans un poulailler ! En général, les femmes savent à quoi s'attendre. Il n'empêche qu'il en a fait beaucoup souffrir. Amusez-vous avec lui, Maureen mais, surtout, ne le prenez pas au sérieux !

Si Mona lui avait donné cet avertissement avec amertume, Maureen n'en aurait tenu aucun compte et lui aurait répondu vertement. Mais elle devinait que l'amie de Lisa cherchait seulement à lui éviter de trop souffrir.

Elle parvint à sourire et, d'un ton léger :

— Vous ne m'apprenez rien ! J'ai vingt-sept ans, j'ai déjà été mariée et je sais à quoi m'en tenir sur les hommes !

Menteuse ! s'accusa-t-elle en se dirigeant vers la salle de séjour. Il suffit que Ray t'effleure du bout du doigt pour que tu perdes la tête... Ah ! Cela te va bien de jouer les affranchies !

Dès qu'elle pénétra dans le vaste living-room, Ray se dirigea vers elle et lui tendit un verre de chablis.

— Ces caftans vous vont à merveille, assurat-il en la dévorant du regard.

S'ils cachaient les formes de Lisa, ils mettaient les siennes en valeur.

— La déesse verte daigne descendre parmi nous! s'exclama Tom avec emphase.

Il leva son verre. Mais son sourire s'agrandit encore quand Mona fit son apparition, vêtue d'une combinaison-pantalon rouge vif, taillée comme une tenue sportive mais dans une soierie pleine de reflets.

Lisa et Hank devisaient à mi-voix dans un coin. Quant à Ray, il était allé s'appuyer à la cheminée. Maureen l'observa entre ses cils baissés. Il était tout vêtu de noir et ses cheveux paraissaient par contraste encore plus pâles.

Une envie irrésistible s'empara d'elle. Celle de tracer en quelques coups de crayon cette silhouette, avant qu'elle ne s'efface de sa mémoire...

Car une fois que les panneaux en vitrail seraient terminés, sous quel prétexte serait-elle invitée dans cette maison?

A peine avait-elle terminé son dessert que Mona parlait discothèques...

— Ray et Maureen, venez donc vous aussi! Vous n'allez pas rester encroûtés ici, voyons!

Ray adressa un coup d'œil interrogateur à Maureen. Elle hésita. Puis elle se souvint qu'il désirait surtout se reposer cette semaine et secoua négativement la tête.

— Je ne tiens pas à courir les boîtes de nuit ce soir, déclara-t-elle.

Pourtant, que n'aurait-elle donné pour danser un slow langoureux dans les bras de Ray?

Elle repoussa cette pensée et revint à des préoccupations plus terre à terre.

— Si vous descendez à Aspen, Tom, vous

pourrez peut-être me déposer chez moi au passage ? suggéra-t-elle.

Il serait en effet plus raisonnable qu'elle rentre. Sinon, que se passerait-il ? Un baiser de Ray... un seul regard même et elle était à lui.

— C'est inutile, coupa-t-il avant que Tom puisse dire quoi que ce soit. Je vous ramènerai un peu plus tard.

Peu après, Tom et Mona partaient, la main dans la main, en riant de bon cœur.

— Ils s'entendent vraiment très bien, remarqua Maureen après leur départ.

— Quelle bonne idée vous avez eu d'inviter Tom ! s'exclama Lisa.

Maureen étouffa un bâillement et Ray haussa les sourcils.

— Notre compagnie vous ennuie ?

— Excusez-moi. D'habitude je reste enfermée toute la journée dans mon atelier et il m'arrive souvent de sauter un repas. Or aujourd'hui, j'ai pris de l'exercice : une longue promenade à cheval... et j'ai également fait honneur à la bonne cuisine de Flo !

Il se leva.

— Alors je vous reconduis avant que vous ne vous endormiez ici !

Ses yeux bleus étincelaient, et Maureen se sentit toute chavirée intérieurement. Où cela allait-il la mener ? Non, elle ne voulait pas le savoir ! Elle préférait se laisser porter par cette grande vague qui la soulevait comme un fétu de paille...

Elle alla remettre son jean, en dépit des protestations de Lisa qui aurait voulu qu'elle reparte vêtue du caftan de soie verte.

Les nuages s'amoncelaient dans le ciel et les

premières gouttes d'eau s'écrasèrent sur le sol quand Maureen cherchait sa clé dans son sac, devant la porte de l'atelier. Elle la découvrit enfin. Avec impatience, Ray s'en empara et l'introduisit dans la serrure.

Elle se tourna vers lui.

— Vous devriez vous dépêcher de rentrer avant l'averse.

Sans répondre, il poussa le battant et l'entraîna avec lui à l'intérieur. La porte claqua sur eux et il l'enlaça.

— Ray! protesta-t-elle.

Il la réduisit au silence d'un baiser passionné. Un baiser auquel elle répondit avec une ardeur qui la stupéfia elle-même.

Ray releva la tête et, d'une voix contenue :

— Toute la journée, j'ai attendu ce moment-là! Venez...

Quelques secondes plus tard, ils pénétraient dans la salle de séjour.

— Non, Ray... fit-elle dans un souffle, tandis qu'il l'écrasait de nouveau contre sa solide poitrine.

Il enfouit son visage dans la masse soyeuse de ses cheveux.

— Votre parfum... murmura-t-il. Savez-vous qu'il me hante depuis le jour où je vous ai transportée chez moi, inanimée ?

Elle frissonna en se rappelant cet incident. Et il devina immédiatement ce qu'elle ressentait. Resserrant son étreinte, il chuchota dans son oreille :

— Ne pensez plus à cela, ma chérie. Repoussez les mauvais souvenirs !

Il lui reprit les lèvres et elle oublia tout ce qui n'était pas eux deux.

Il la lâcha pour allumer et tirer les doubles rideaux sur les fenêtres battues par la pluie. Maintenant qu'elle n'était plus dans ses bras, Maureen retrouvait ses esprits. Et les mots de Mona lui revenaient à la mémoire avec une précision presque hallucinante.

Elle crispa les poings. Je ne veux pas être une autre Gloria, songea-t-elle.

Se mordant la lèvre inférieure, elle examina Ray qui, sans hâte, revenait vers elle. Elle devait mettre immédiatement les choses au point !

— Ray... commença-t-elle d'une voix tremblante. Il faudrait que... que nous discutions sérieusement.

Il l'enveloppa d'un regard amusé.

— Eh bien, discutons sérieusement !

Elle soupira.

— Ce n'est pas facile à dire ! Voyez-vous, je... je suis le contraire d'une femme facile, même si j'ai pu vous donner l'apparence de... de ne pas avoir beaucoup de principes.

Le visage de Ray se fit impénétrable. Elle avala sa salive, de plus en plus mal à l'aise. Ah ! Il ne lui simplifiait pas la tâche !

— Quand je suis restée près de vous, la nuit où vous avez appris que votre mère était malade, reprit-elle, c'était uniquement parce que vous aviez besoin d'une présence.

Sa voix se raffermissait. Elle sentait que tout cela avait besoin d'être dit.

— Pendant un mois, poursuivit-elle, vous n'avez pas jugé bon de me donner le moindre signe de vie. Et maintenant, vous croyez qu'il vous suffit de lever le petit doigt pour que je vous tombe dans les bras ?

L'expression de Ray avait durci. Et il demeurait toujours silencieux... Elle rencontra son regard glacial et baissa la tête, soudain accablée.

Qu'avait-elle dit là ? Les mots étaient sortis de sa bouche sans qu'elle réfléchisse vraiment à leur sens. Elle eut l'impression d'avoir tout gâché.

— Nous sommes tous les deux des adultes, déclara enfin Ray d'une voix froide, désespérément lointaine. Je vous prenais pour une femme responsable...

Il laissa sa phrase en suspens et haussa les épaules. Quand il reprit la parole, sa voix était devenue âpre.

— Que cherchez-vous ? Un père ou un amant ? Votre mari avait vingt ans de plus que vous. Les gens le décrivent comme ayant été un homme gentil, sérieux... un bon artisan. C'est ce genre d'homme qui vous plaît ?

Il croisa les bras et parut grandir encore.

— Est-ce pour cela que vous me fuyez ? En tout cas, tenez-vous-le pour dit, je n'ai nulle envie de jouer auprès d'une femme le rôle d'un père !

Maureen refoula les larmes qui lui picotaient les yeux. Comme elle regrettait d'avoir prononcé ces mots qui avaient eu le pouvoir de transformer Ray en étranger ! Hélas, il était trop tard...

Il la toisa avec dédain. Il ressemblait soudain, trait pour trait, à l'homme qui avait un jour poussé la porte de son atelier en demandant M. McClelland...

— Je vous remercie de m'avoir parlé franchement ! lança-t-il d'une voix coupante.

Brusquement, la colère le submergea.

— Je renonce à comprendre les femmes et

leur logique complètement tordue ! s'exclama-
t-il en crispant les poings.

Là-dessus, sans un mot d'adieu, il disparut. La
porte d'entrée claqua avec violence. Et Maureen
s'effondra, en larmes.

Tout était fini...

Chapitre neuf

— Tu as une mine épouvantable! s'exclama
Anne dès qu'elle vit son amie, le lendemain
matin.

Après le départ de Ray, Maureen s'était jetée
sur son lit mais n'avait pratiquement pas fermé
l'œil de la nuit.

— Eh bien, merci! fit-elle. Tu n'es pas en
veine de compliments aujourd'hui. Cela peut
arriver à tout le monde de mal dormir!

— Tu n'as pas été la seule à passer une nuit
blanche...

— Que veux-tu dire? s'enquit Maureen.

— J'ai vu Ray Gordon repartir hier soir au
volant de sa Mercedes. Je parierais qu'il n'a pas
mieux dormi que toi!

Maureen serra les lèvres et Anne posa gentiment sa main sur son épaule.

— Si cela peut te faire du bien de te confier, je
suis là!

Une boule se logea dans la gorge de la jeune
femme. Elle avait peine à retenir ses larmes...

— Pas maintenant, murmura-t-elle. Plus tard,
peut-être...

— Tu sais que tu peux toujours compter sur
moi!

— Je sais, fit Maureen en écho avec un petit
sourire triste.

122

Nan et Sara arrivèrent sur ces entrefaites et la routine d'une journée de travail s'établit.

Maureen reprit ses outils, tout en se demandant si Ray n'allait pas annuler la commande, après ce qui s'était passé...

Elle haussa les épaules. Non, il n'agirait pas ainsi. Il voulait ces panneaux à tout prix ! Et en outre, n'avait-il pas signé un contrat ?

Tout en travaillant avec des gestes précis, elle laissait son esprit battre la campagne. A chaque instant, elle revivait avec une acuité déchirante les moindres détails de cette soirée navrante.

Ainsi, Ray s'imaginait qu'en chaque homme, elle cherchait la figure du père ? Ce père qui, trop pris par ses affaires, lui avait tant manqué ?

Ridicule...

Elle pinça les lèvres. Non, cette hypothèse n'était pas si ridicule que cela. Etait-il possible qu'elle ait cherché auprès d'Ed un appui... presque paternel ?

Pourtant, leur mariage avait été réussi, à sa façon. Soit, ils avaient plus vécu une tendre association qu'une grande passion. Mais pourquoi pas ?

Que voulait Ray ? Une brève aventure. Rien d'autre... Elle retint sa respiration. Une révélation venait de la frapper brusquement : elle était prête à se contenter de cette brève aventure...

Mais Ray était parti. Et elle devinait qu'il ne reviendrait pas.

Au cours des jours qui suivirent, elle se consacra exclusivement à son travail. Ray ne lui donna pas le moindre signe de vie. Pas plus que Lisa ou leurs invités...

Maintenant, elle avait terminé cinq panneaux.

Il ne lui en restait que trois à faire. Une fois que le vitrier aurait livré l'ensemble à leur destinataire, elle n'aurait plus rien à voir avec lui.

Jamais elle ne verrait les vitraux posés dans cette grande salle de séjour décorée avec tant de goût...

Elle ne saurait pas non plus si Lisa aurait un garçon, comme Hank l'espérait tant. Et Mona ? Réussirait-elle à épouser Ray ? Ou bien l'avenir la verrait-il aux côtés de Tom ?

Ce dernier apparut à l'atelier en fin de semaine.

— Bonjour, Maureen, travailleuse de force ! lança-t-il avec bonne humeur. Je suis venu voir les panneaux terminés afin de prévoir la fabrication des rails.

Malgré elle, elle regarda derrière lui pour constater aussitôt avec regret qu'il était venu seul.

— Je suis obligé de rentrer à Denver, expliqua-t-il. Je ne peux malheureusement pas prendre d'aussi longues vacances que nos amis... Le travail m'attend !

Elle le conduisit près des vitraux.

— Il m'en reste trois à faire. Ils seront finis pour le début de l'été, si tout va bien.

Il hocha la tête.

— Lisa avait raison. Ils sont absolument superbes !

Et Ray ? Quelle est son opinion ? avait-elle envie de demander.

Ils se mirent à discuter de l'installation des panneaux. Ceux-ci devaient pouvoir glisser sans effort sur les rails, en dépit de leur poids.

— Ray a fait venir le menuisier qui construira

124

les placards, lui apprit Tom. En principe, ceux-ci devraient être posés dans la semaine qui vient.

Elle l'invita à prendre une tasse de café.

— Ce serait avec plaisir mais je n'ai vraiment pas le temps de m'attarder !

— Comment va Mona ? questionna-t-elle. Avez-vous fait la tournée de toutes les discothèques d'Aspen ?

Il éclata de rire.

— Quelle fille vivante et sympathique ! Elle a promis d'aller me voir à Denver... J'espère qu'elle ne tardera pas.

— Elle est toujours à Aspen, bien sûr ?

— Mais non ! Elle est repartie pour le Texas en compagnie de Ray !

Maureen se figea. Ray était parti ? Déjà ? Et avec Mona...

Comme son cœur était lourd, soudain !

— Quant à Hank et Lisa, poursuivit Tom sans remarquer sa pâleur, ils restent encore quelques jours.

Il leva les yeux au ciel.

— Ray était d'une humeur massacrante ! Jamais je ne l'ai vu aussi désagréable... Et pourtant, je le connais depuis longtemps !

Il ne tarda pas à prendre congé. En lui serrant amicalement la main, il déclara :

— Ne vous fatiguez pas trop, jolie Maureen ! Dites-vous que la vie ne se résume pas au travail !

Après son départ, elle rejeta ses cheveux en arrière en soupirant. Puis elle choisit un morceau de verre de couleur et s'apprêta à le couper suivant les contours bien précis du calque qui lui servait de modèle.

Elle s'interdit de penser à Ray. Et à Mona qu'il avait emmenée dans son avion personnel...

Lisa et Hank vinrent lui rendre visite quelques jours plus tard.

— Nous partons aujourd'hui, lui annonça la jeune femme. Nous venons vous faire nos adieux !

Maureen était contente de la voir. Dans des circonstances différentes, elles seraient probablement devenues amies.

— Cela avance, déclara-t-elle. J'en suis au sixième vitrail !

Le nom de Ray était au bout de sa langue. Elle réussit à ne pas le prononcer...

— Bravo ! s'exclama Hank. Vous travaillez vite et bien !

— Dommage que vous n'ayez pas pu passer plus de temps avec nous cette semaine, soupira Lisa. Mais Ray nous a dit que vous aviez beaucoup à faire et qu'il vous était impossible de vous libérer. J'espère que la prochaine fois que nous viendrons vous serez moins bousculée !

Voilà donc le prétexte qu'il avait donné pour expliquer son absence ? Sa gorge se serra. Oui, à cause de sa maladresse, tout était bel et bien fini...

— J'ai vu Tom l'autre jour, déclara-t-elle. Il semble penser que l'installation des panneaux ne présentera pas de problèmes majeurs. En principe, je devrais les terminer au début de l'été.

Hank éclata de rire en brandissant un épouvantail en verre coloré.

— Oh ! Il faut absolument que j'achète cela !

Nan se dirigea vers lui et, avec un sourire :

— Faut-il faire un paquet-cadeau, monsieur ?

126

Profitant de l'éloignement momentané de son mari, Lisa demanda à mi-voix à Maureen :

— Que s'est-il passé entre Ray et vous ? Tout semblait aller si bien et brusquement...

Maureen se raidit. Elle était loin de s'attendre à une question aussi directe.

— Mais... il ne s'est rien passé, balbutia-t-elle.

Heureusement, Hank revenait vers elles.

— Es-tu prête, Lisa ? Nous ne devons pas nous attarder. Jerry doit s'impatienter à l'aéroport...

Lisa embrassa amicalement Maureen.

— Je vais essayer d'arranger les choses, chuchota-t-elle dans son oreille. Mon frère a parfois de drôles d'idées au sujet des femmes...

Maureen n'osa pas protester devant Hank. La réaction de Lisa était un peu naïve... Elle était follement amoureuse de son mari et souhaitait probablement voir son frère heureux, lui aussi...

Après le départ du jeune couple, elle retourna avec une ardeur renouvelée à son sixième panneau... Elle devinait, d'instinct, que seul le travail pouvait la sauver du désespoir.

Elle ne tarda pas à attaquer le septième panneau. Le soleil illuminait ceux qui étaient déjà terminés et qu'elle exposait fièrement dans sa vitrine.

Les jours passaient... et les semaines. Elle s'interdisait de penser à Ray Gordon. Mais lorsqu'un ami l'invitait à sortir, elle trouvait toujours une bonne raison pour refuser. Dès qu'un homme s'intéressait à elle, elle ne pouvait s'empêcher de le comparer mentalement à Ray. Et la comparaison était toujours à l'avantage de ce dernier.

La petite rue où elle vivait représentait en quelque sorte une communauté. Ici, tout le monde s'entraidait... Quand un artiste ou un artisan était malade, les autres venaient le soigner, lui apportaient des repas, allaient bavarder avec lui... Dans l'adversité, chacun était proche. Mais dans les bons moments aussi. Il arrivait souvent que de joyeuses réunions voient se retrouver tous les habitants de la rue.

Quand Maureen avait obtenu la commande des huit panneaux, ses voisins s'en étaient réjouis pour elle. Ils avaient tous connu Ed et n'ignoraient pas qu'il laissait sa maison hypothéquée.

A peine la jeune femme exposa-t-elle en vitrine le huitième vitrail que le quartier décida de fêter sa réussite en organisant une petite fête.

Le mot courut dans les échoppes, les ateliers et les boutiques. « Rendez-vous à huit heures ce soir chez Maureen... Apportez de quoi boire et manger ! »

Peggy et Cal, les parents de Nan, furent les premiers à arriver — bien avant l'heure fixée.

— Ne nous en veuillez pas, Maureen. Mais nous souhaitons avoir une conversation sérieuse avec vous, lui dit Peggy avec un sourire.

— Oui, appuya son mari. Tout comme les parents de Sara, nous vous sommes infiniment reconnaissants d'avoir fait travailler nos filles. Grâce aux premiers rudiments du métier que leur avait donnés Ed et grâce à ce que vous venez maintenant de leur apprendre, elles savent désormais travailler le verre de couleur.

— Sara tout comme Nan ne savaient trop que faire après avoir terminé leurs études secondaires, reprit Peggy. Je vous avoue que je m'inquiétais... Des adolescentes livrées à elles-

128

mêmes peuvent avoir de mauvaises fréquentations et être entraînées Dieu sait où... Grâce à vous, elles se sont passionnées pour leur travail et nous ne vous remercierons jamais assez !

— Ce n'est pas à vous de me remercier mais à moi ! s'exclama Maureen. Nan et Sara m'ont beaucoup aidée. Sans elles, je n'aurais pas pu terminer cette commande si rapidement ! Savez-vous que je leur ai confié l'entière fabrication des petits animaux ?

— C'est à ce sujet, justement, que nous souhaiterions vous parler, fit Cal. Les deux filles rêvent de se mettre à leur compte... Mais bien entendu, il n'est pas question qu'elles vous fassent concurrence ! Nous avons eu une idée...

Il marqua un temps d'arrêt.

— Voyez-vous, reprit-il enfin, grâce à ces huit panneaux, votre renommée va grandir et vous ne manquerez plus de commandes.

Maureen hocha la tête affirmativement. Celles-ci avaient en effet commencé à pleuvoir... Elle qui quelques mois auparavant redoutait de se trouver sans travail, voilà qu'elle se demandait maintenant comment faire face à tout l'ouvrage qui l'attendait.

Aurait-elle encore du temps pour fabriquer des oiseaux de toutes les couleurs ou des poissons fantastiques ? Elle en doutait...

— Comment faire ? murmura-t-elle.

— Nous sommes prêts à racheter votre fonds — je parle de celui concernant les petits animaux en verre de couleur — et à louer pour Nan et Sara la moitié de votre atelier. Qu'en pensez-vous ?

Peggy intervint :

— Si les deux filles se trouvaient à la tête de

leur propre affaire, je ne crois pas qu'elles auraient le temps de... de faire des sottises.

Elle rougit légèrement.

— Vous me comprenez ?

Maureen eut un signe affirmatif. Elle n'ignorait pas que Nan avait fait partie d'une bande d'Aspen dont la réputation était loin d'être excellente. Si elle se trouvait oisive, elle irait probablement retrouver ce petit groupe. Il était normal que ses parents cherchent à lui éviter de telles tentations !

— Je ne sais que dire ! murmura-t-elle enfin.

— Réfléchissez ! lui demanda Peggy. Vous avez tout le temps pour prendre votre décision...

Déjà, les voisins commençaient à arriver, les bras chargés de bouteilles ou de paquets. Il ne fut plus possible de discuter sérieusement.

— C'est entendu, décida Maureen. Je vais réfléchir...

Le lendemain matin, elle ouvrit l'atelier beaucoup plus tard que d'habitude. La soirée s'était prolongée jusqu'au milieu de la nuit et elle s'accordait exceptionnellement une grasse matinée.

La veille, elle s'était obligée à rire et à plaisanter d'un cœur léger... A plusieurs reprises, elle avait surpris le regard pensif d'Anne posé sur elle. Ses efforts pour s'étourdir n'abusaient pas son amie.

Les panneaux étaient maintenant complètement terminés. Elle avait même passé la couche de patine sur les plombs. Il ne restait plus qu'à les livrer.

Et ce ne serait pas le vitrier auquel elle avait recours d'ordinaire qui se chargerait de cette livraison... Quelques jours auparavant, elle avait reçu une lettre dont l'enveloppe portait en en-tête : *Société Gordon*. Le cœur battant, elle l'avait décachetée...

Mais il s'agissait seulement d'une lettre dactylographiée, signée par la secrétaire de Ray.

Monsieur Gordon me charge de vous demander de prendre contact avec Jake, le gardien de sa maison d'Aspen, dès que vous aurez terminé les vitraux. Il viendra les chercher avec une camionnette.

Ainsi, Ray lui refusait le plaisir de s'occuper elle-même de leur installation avec Tom ! Jamais elle ne les verrait posés, comme elle l'avait espéré, malgré tout...

Dans le courant de l'après midi, elle s'installa au volant de sa voiture — enfin réparée ! — et prit le chemin de la maison de Ray.

Son cœur se serra quand elle aperçut cette construction basse en forme de H, si élégante dans ce paysage de montagnes... Dans cette demeure, elle avait vécu des instants privilégiés. Des instants qu'elle n'oublierait pas.

Elle trouva Jake dans la cour des écuries. Il curait les sabots d'un cheval. Dès qu'il l'aperçut, il se redressa et la salua chaleureusement.

En quelques mots, elle lui expliqua le but de sa visite et il hocha la tête.

— Je suis au courant ! Monsieur a téléphoné pour me dire qu'il faudrait que je transporte ces fameux panneaux. Ils sont très fragiles, paraît-il... Je penserai à emporter suffisamment de couvertures pour les protéger.

Maureen alla caresser Marguerite. Comme elle était heureuse, la première fois qu'elle avait monté cette jolie jument !

— Flo est là-haut ! fit Jake en indiquant la

maison de son maître. Elle y va tous les jours afin de faire un peu de ménage. Allez donc lui dire bonjour, cela lui fera plaisir !

Le cœur de Maureen se serra. Non, elle ne voulait pas pénétrer dans cette demeure en l'absence de Ray... Les pièces lui paraîtraient trop vides, l'ambiance trop désolée...

— Je n'ai pas le temps, prétendit-elle. J'ai énormément de travail...

Jake promit de passer le lendemain après-midi, dûment équipé pour le transport des vitraux.

Il arriva à l'heure convenue et, avec beaucoup de soin, enveloppa chaque panneau dans une couverture, avant de les placer dans le camion aux parois déjà soigneusement rembourrées, car il était utilisé occasionnellement pour le transport des chevaux.

Maureen surveilla l'opération avec désespoir. En voyant partir ces vitraux dans lesquels elle avait mis tant d'elle-même, elle eut l'impression que se rompait le dernier lien l'attachant à Ray...

Le véhicule, au pas, disparut au coin de la rue, après que Jake lui eut cordialement fait ses adieux, tout en lui assurant qu'elle n'avait pas de souci à se faire. Les panneaux arriveraient intacts — à moins d'une catastrophe imprévisible !

— Qu'allez-vous faire maintenant ? interrogea Nan quand elle regagna l'atelier, tête basse. Commencer le vitrail qui vous a été commandé pour l'église ? Ou bien...

— Je ne sais pas, soupira-t-elle.

Elle avait envie d'aller se mettre au lit, de se cacher sous ses couvertures et d'ignorer tout du monde extérieur. Elle se sentait un peu comme un animal blessé qui cherche à se terrer dans un coin.

Le téléphone se mit à sonner et Sara décrocha. Elle était toujours prête à prendre les communications téléphoniques, à recevoir les touristes, ou encore à s'occuper des formalités administratives.

Nan était plus rêveuse, plus artiste. Mais à elles deux, elles formaient une excellente équipe. Si elles s'associaient pour mener une affaire, elles réussiraient certainement, car elles se complétaient.

— Pour vous, Maureen ! fit Sara brièvement en tendant le combiné à la jeune femme.

Cette dernière s'en empara.

— Allô ?

— Allô, Maureen ? Ici, Lisa...

— Lisa ! Par exemple ! s'exclama-t-elle avec stupeur. Si je m'attendais à vous entendre... Mais où êtes-vous ?

— Chez moi. Je suis désolée de ne pas vous avoir donné signe de vie plus tôt mais j'avais tant à faire ! Vous ne pouvez pas imaginer... Figurez-vous que j'ai préparé une exposition pour une grande galerie d'Amarillo — la ville la plus proche du ranch. Le vernissage aura lieu la semaine prochaine !

— Formidable ! Je comprends que vous n'ayez pas manqué de travail.

— Figurez-vous qu'ils voulaient quinze tableaux ! Quinze ! J'ai cru que je n'y arriverais pas... J'en avais seulement une demi-douzaine de disponibles et j'ai travaillé comme une folle pour réunir le nombre requis.

— Je regrette d'être si loin ! J'aurais aimé voir votre exposition.

— Il faut que vous veniez, Maureen !

— Aspen est bien loin du Texas, Lisa, soyez raisonnable. Il n'est pas question que j'entreprenne un pareil voyage !

— Ecoutez, Jerry doit aller demain à Aspen. Il pourrait vous ramener !

Sa voix se fit implorante.

— Maureen, j'ai vraiment besoin de vous. Vous êtes une artiste, vous aussi ! Vous me comprenez mieux que tous mes amis, qui n'ont pas cette espèce de sixième sens que nous partageons toutes les deux. Vous voyez ce que je veux dire ?

— Oui, bien sûr...

Maureen était tentée. Elle s'était toujours sentie proche de Lisa. Passer deux ou trois jours avec elle, voir son exposition... Elle avait bien envie d'accepter !

Mais Ray ? Il serait là, lui aussi ! Elle le revit la toiser de son regard glacial et elle sut qu'elle ne survivrait pas à son dédain...

— Je suis désolée, Lisa, fit-elle avec fermeté. Cela me ferait très plaisir de vous voir et d'admirer vos œuvres. Mais il m'est impossible de me déplacer en ce moment.

— Maureen, je comptais tellement sur vous ! s'écria Lisa, visiblement au bord des larmes. Hank sera là bien sûr mais il ne m'aide pas beaucoup, au contraire ! A vrai dire, il ne voulait pas que je prépare cette exposition, il craignait que cela me fatigue trop. Quant à Ray, il sera absent. Il voyage tout le temps ! Au cours de ces deux derniers mois, il était surtout en Europe. Et au moment de l'exposition, il sera au Canada... Je vous en supplie, venez près de moi pour le vernissage !

134

Maureen laissa échapper un soupir de soulagement. Si Ray était absent, elle pouvait accepter l'invitation de Lisa.

— Je vais essayer de m'arranger, déclarat-elle enfin. Cela me ferait tellement plaisir de vous revoir. Et aussi d'admirer vos nouveaux tableaux, bien sûr !

— Oh ! Maureen, merci ! s'exclama Lisa avec fougue. Je savais bien que vous ne me laisseriez pas tomber !

Elle donna à son interlocutrice quelques détails concernant son exposition avant de passer à un autre sujet :

— Jake a téléphoné l'autre jour. Les huit panneaux que vous avez réalisés sont bien arrivés. Le menuisier est au travail et Tom viendra superviser la pose des rails. Il vous contactera sûrement à ce moment-là... Ce qui m'amène à vous demander si vous accepteriez de faire pour nous des vitraux du même genre ? Mais pour une pièce beaucoup plus petite : il s'agit de l'entrée de notre maison. Hank et moi aimons tellement ce que vous faites que nous serions ravis d'avoir l'une de vos œuvres à demeure. Vous allez pouvoir étudier tout cela sur place !

— Entendu, fit Maureen avec bonne humeur. Quand Jerry doit-il venir à Aspen ?

— Demain en début d'après-midi. Il vous téléphonera pour vous préciser l'heure à laquelle il peut vous prendre. Oh ! Maureen, je suis si contente que vous ayez accepté de venir !

La jeune femme ne tarda pas à raccrocher. Comme elle était heureuse, soudain ! Elle allait voir le ranch de Ray... Elle connaîtrait ce cadre dont elle avait tant rêvé et qui était celui de la vie de l'homme qu'elle aimait.

Nan et Sara étaient enchantées de se voir confier la responsabilité du magasin. Il était évident qu'elles rêvaient de posséder un jour leur propre affaire !

Voyant que tout s'arrangeait sans problème, Maureen monta dans sa chambre et se mit en devoir de préparer sa valise. Qu'allait-elle emporter ? Certes, ce séjour serait très bref mais elle tenait à être à son avantage. Soudain, après des jours de semi-léthargie, elle avait envie de revivre.

Le lendemain, un peu après l'heure du déjeuner, Jerry l'appela pour lui dire qu'il venait d'arriver à Aspen, et qu'il avait l'intention de repartir dans une heure.

— Pouvez-vous me rejoindre à l'aéroport par vos propres moyens ?

— Bien sûr !

Elle était prête depuis longtemps déjà. Nan la conduisit, au volant de sa propre voiture.

— Bonnes vacances, Maureen ! Amusez-vous bien ! Vous avez besoin de vous détendre un peu !

Jerry lui fit visiter le petit avion privé, à la fois fonctionnel et confortable. Il comportait même une kitchenette avec un réfrigérateur minuscule et une machine à café.

— Si vous voulez boire quelque chose, servez-vous, lui dit le pilote. Vous trouverez tout ce que vous désirez dans ce placard.

Il s'installa aux commandes de l'appareil.

— Maintenant, asseyez-vous et bouclez votre ceinture. Nous décollerons dès que la tour de contrôle nous donnera le signal.

Maureen se laissa tomber dans le fauteuil le plus proche. Et aussitôt, elle sut qu'elle avait choisi *son* siège... Elle ferma les yeux, retrouva l'odeur de son eau de toilette légèrement poivrée...

Non, elle n'allait pas se laisser aller à rêver ! Elle voulut changer de place mais il était trop tard. Déjà, Jerry, après un rapide échange radio avec la tour de contrôle, filait sur la piste d'envol.

Bientôt, l'appareil s'éleva dans les airs. Jerry se tourna vers elle :

— Voulez-vous venir vous asseoir près de moi ? On voit beaucoup mieux le paysage.

Presque à regret, Maureen quitta le fauteuil dans lequel elle s'était laissée aller à une semi-somnolence. Pendant quelques minutes, elle avait rêvé qu'elle était de nouveau dans les bras de Ray...

L'atterrissage fut très doux. Jerry était vraiment un excellent pilote. Un chauffeur, au volant d'une camionnette, les attendait pour se charger des tableaux de Lisa, soigneusement emballés dans des cartons par Jake.

En descendant de l'avion, Maureen constata que les appareils privés étaient très nombreux dans cet aéroport. Elle s'en étonna auprès de Jerry.

— C'est tellement plus facile de posséder son propre avion ! s'exclama-t-il. Vous avez beaucoup plus de liberté ainsi. Par exemple, je peux conduire Ray dans des petits aéroports tout proches des villes où il doit se rendre. Il gagne ainsi un temps énorme ! Et songez qu'il n'est pas lié par les horaires contraignants des compagnies officielles. Pour un homme d'affaires appelé à beaucoup se déplacer, cette solution est idéale !

— Ray est au Canada en ce moment ? interrogea Maureen. Savez-vous quand il reviendra ?

Elle voulait être sûre d'avoir ses mouvements libres, sans risquer une rencontre qui aurait sûrement été désagréable pour tout le monde...

— J'attends qu'il me fasse signe, répondit Jerry.

Il emmena la jeune femme vers une voiture et ils ne tardèrent pas à quitter l'aéroport. De tous ses yeux, Maureen regardait le paysage.

Dans d'immenses prairies qui s'étendaient à perte de vue, de gigantesques troupeaux paissaient paisiblement. Ce fut sa première impression du Texas.

— Arriverons-nous bientôt sur le ranch des Gordon ? demanda-t-elle.

Jerry lui adressa un sourire amusé.

— Mais nous y sommes ! Cette route traverse les terres de Ray.

Ainsi, tout cela était à lui !

A l'horizon, elle aperçut les puits de pétrole qui avaient donné au ranch une nouvelle richesse.

— Encore quelques kilomètres et nous atteindrons la maison, lui dit Jerry.

Chapitre dix

Jerry emprunta une route un peu plus étroite, bordée d'arbres entre lesquels on distinguait toujours des prairies et des troupeaux. Combien de milliers d'hectares possédait Ray ? Combien de milliers de têtes de bétail ?

Maureen soupira, se rendant compte qu'elle ne savait pratiquement rien de l'homme qu'elle aimait.

Du sommet d'une colline, elle eut une vue plongeante sur tout un ensemble de bâtiments : granges, hangars, étables et écuries. Un hameau de cottages blancs s'élevait un peu à l'écart : c'était là, probablement, que devaient loger les ouvriers agricoles.

— Ray et Lisa sont nés dans cette maison, déclara Jerry.

Il désignait une vaste demeure identique en tout point à celles qu'avaient bâties les pionniers, autrefois. Elle était construite en pierre, avec un toit en pente. Une grande véranda la précédait. Comme il devait faire bon y flâner à l'ombre les jours de canicule !

Le cœur de Maureen s'alourdit. Que n'aurait-elle donné pour vivre ici... Pour attendre le retour de Ray chaque soir...

Mais au lieu de se diriger vers la maison, Jerry prit une route transversale.

— Hank et Lisa habitent de l'autre côté de la colline, expliqua-t-il.

Leur demeure, pourtant moderne, évoquait elle aussi celle des pionniers. Mais Maureen sentait que c'était mieux ainsi. Un pavillon moderne n'aurait pas été à sa place dans ce paysage.

Lisa les accueillit avec chaleur, vêtue de l'un de ces caftans qu'elle affectionnait. Elle en était maintenant à son septième mois de grossesse et semblait irradier de bonheur.

— Oh ! Maureen ! Comme je suis contente de vous voir. Vous êtes tellement gentille d'avoir accepté de venir !

Elle secoua la tête.

— Je suis dans un état de nerfs... Vous ne pouvez pas imaginer !

Lisa avait décoré son living-room d'une manière très originale. Les fauteuils et les canapés étaient recouverts de velours prune ou vert acide. Et l'ensemble, grâce au goût très sûr de la jeune femme, était une réussite. Pourtant, si on l'avait décrit auparavant à Maureen, elle aurait été horrifiée. Sur place, elle se trouva instantanément séduite.

Une femme d'un certain âge apporta du thé glacé, que Lisa se mit aussitôt en devoir de servir.

— Des nouvelles de Ray ? s'enquit Jerry.

— Rien. Peut-être pourriez-vous lui téléphoner après dîner ? suggéra Lisa. Vous devriez le joindre à son hôtel à ce moment-là.

Pourvu que Jerry ne lui dise pas que je suis là ! songea Maureen, tout de suite paniquée.

Et si Jerry le lui apprenait ? S'il avançait son

retour ? N'était-ce pas ce qu'elle espérait au fond d'elle-même, sans oser se l'avouer ?

Hank fit son entrée à ce moment-là. Avec ses larges épaules et son air sûr de lui, il évoquait un peu Ray... Fugitivement, Maureen se demanda comment deux hommes ayant une personnalité aussi affirmée parvenaient à travailler ensemble.

— Cela fait plaisir de vous revoir, Maureen ! assura-t-il en s'emparant du verre de thé glacé que lui offrait sa femme.

Il sourit.

— J'espère que vous parviendrez à calmer Lisa ! La perspective de cette exposition la met dans un état de nerfs qui m'inquiète... Je ne pense pas qu'il soit bon qu'une femme enceinte se fasse autant de soucis !

— Oh ! Hank ! s'exclama Lisa.

— Je le redis encore une fois : ce n'était vraiment pas le moment de s'occuper d'autre chose que... que du futur bébé.

— Le futur bébé se porte à merveille ! assura la jeune femme dans un éclat de rire.

Hank l'attira contre lui après avoir bu quelques gorgées de thé.

— Très rafraîchissant ! murmura-t-il. Il a fait tellement chaud aujourd'hui... Si seulement il pouvait pleuvoir !

Lisa joignit les mains.

— Non ! Pas avant l'exposition !

Hank leva les yeux au ciel et de nouveau, elle se mit à rire.

— Hank, je peux compter sur toi ? Tu iras demain avec Pedro à la galerie pour vérifier si tout est bien en place ?

— Je te l'ai promis.

Lisa se tourna vers Maureen et, avec une mimique expressive :

— Figurez-vous qu'Hank ne veut même pas que j'aille surveiller moi-même les préparatifs ! Il a peur que je me fatigue. Et pourtant, le médecin affirme que je suis en pleine forme !

— Je te connais, coupa Hank. Tu serais capable de soulever un tableau, et maintenant qu'ils sont encadrés, ils sont terriblement lourds. Dans ton état...

Lisa leva les yeux au ciel.

— Mon état... mon état ! Seigneur ! s'exclama-t-elle, feignant l'exaspération.

Elle prit Maureen par le bras et l'entraîna vers l'entrée :

— Venez voir... Je vais vous montrer l'endroit où j'aimerais avoir quelques panneaux en vitrail !

Un excellent dîner réunit autour d'une table ronde Hank, Lisa, Jerry et Maureen. Cette dernière ne cessait de poser des questions au sujet du ranch. Elle voulait tout connaître ! Hank lui répondait volontiers, amusé par son intérêt.

— Si vous voulez, vous pourrez le visiter à cheval.

— Oh ! Oui ! s'exclama-t-elle.

Et une soudaine amertume la gagna. Elle se souvenait des promenades à cheval en compagnie de Ray, dans les montagnes d'Aspen...

Après le dessert, Hank et Jerry se levèrent. Tous deux devaient se rendre dans les bureaux du ranch afin de téléphoner à Ray et de lui communiquer des informations concernant ses affaires. Les papiers dont Hank voulait lui donner connaissance se trouvaient classés là-bas.

Lisa emmena Maureen dans son atelier, une vaste pièce éclairée par des verrières située derrière la maison.

— Comme vous êtes bien ici pour travailler ! s'exclama Maureen avec envie.

— Quand Hank a fait construire cette pièce, après notre mariage, j'ai cru qu'il voulait y installer son bureau ! Voyez-vous, à l'époque, je m'imaginais qu'il considérait mon art un peu en rival. Comme je me trompais !

Maureen admirait les tableaux alignés le long du mur. Lisa haussa les épaules.

— La galerie n'en a pas voulu !

— Comment est-ce possible ? s'écria Maureen.

— Ils ne sont pas assez bons, reconnut Lisa. Je l'admets moi-même. Ce sont des œuvres relativement anciennes. Depuis, j'ai mûri, mon style a changé...

Si ces toiles avaient été refusées, alors qu'elles étaient vraiment excellentes, celles qui avaient été acceptées devaient être tout bonnement spectaculaires !

— J'ai peint tout cela à l'époque où j'ai fait la connaissance de Hank, expliqua Lisa.

Maureen hocha la tête et examina avec plus d'intérêt encore les tableaux qui avaient vu le jour pendant une période visiblement tourmentée de l'existence de Lisa. Certaines toiles avaient été réalisées sous l'empire de la colère, c'était évident ! D'autres reflétaient la passion, l'espoir. Et certaines, aux tendres harmonies pastel, contenaient tant de rêve...

L'amour avait profondément marqué Lisa. Jamais Maureen n'avait été ainsi dévorée par les passions quand elle avait fait la connaissance d'Ed. Au contraire, elle avait eu l'impression d'arriver dans un grand lac infiniment calme...

Par contre, ce qu'elle éprouvait pour Ray aurait pu se traduire comme un torrent dévalant la montagne...

Elle avala sa salive. Une fois de plus, ses pensées la ramenaient à lui. Elle ne parviendrait donc jamais à l'oublier ?

Le lendemain, Hank partit en promettant de passer à la galerie afin de veiller aux derniers détails... Lisa attendit son retour avec impatience. Mais il ne revint pas avant la fin de l'après-midi.

— Tout va bien ! assura-t-il. Tu seras contente...

L'employée de maison apparut, poussant une table roulante sur laquelle elle avait disposé un plateau d'appétissants canapés, un autre de petits fours et une cafetière pleine de cet excellent café très fort que les Texans appréciaient tant.

— Nous dînerons plus tard que d'habitude, expliqua Lisa. Voici un petit en-cas...

Elle suivit ensuite Maureen dans sa chambre et examina ses vêtements. A part deux robes longues, la jeune femme avait seulement mis dans sa valise des tenues de sport. Ne passait-on pas son temps en jean, dans un ranch ?

— Oh ! Mettez celle-ci ! s'exclama Lisa en désignant une longue tunique de soie imprimée de brun et de rose. Elle devrait mettre votre teint clair en valeur. Vous avez une si jolie peau !

« Une peau d'ivoire », disait Ed, autrefois...

— Vous attendez des invités ce soir ? s'enquit Maureen.

— Oui...

Je n'aurais pas dû venir, songea la jeune femme. Je vais me sentir horriblement mal à l'aise... Et, surtout, je devine *sa* présence partout. C'est un vrai supplice !

A chaque instant, en effet, elle avait l'illusion que Ray se trouvait là. Il semblait avoir imprégné les murs de sa forte personnalité. Maureen ne cessait de se demander s'il s'était assis dans ce fauteuil, s'il avait touché cet objet, s'il avait ouvert cette porte...

Si cela continuait, elle allait perdre la tête !

Lisa la laissa se préparer. Après avoir pris une douche, Maureen enfila la tunique de soie et dut admettre qu'elle lui allait très bien... Cette toilette, qui faisait partie de sa garde-robe de jeune fille, était merveilleusement bien coupée dans une étoffe superbe dont les teintes semblaient prendre des reflets mouvants à chacun de ses pas.

Elle se parfuma et ferma les yeux. Très loin dans sa mémoire, une voix profonde murmurait ces mots :

— Votre parfum... Savez-vous qu'il me hante ?

Avec un soupir, elle acheva de se maquiller, puis elle se brossa les cheveux. Elle devait à présent descendre et simuler la gaieté pour faire face aux invités de ses hôtes.

Avant de pénétrer dans la salle de séjour, elle prit une profonde inspiration, tout en se redressant fièrement. Personne ne devait deviner combien elle était déchirée intérieurement !

Elle poussa la porte et, tout de suite, s'immobilisa.

Ray était là ! Plus grand, plus séduisant que jamais...

Leurs yeux se rencontrèrent, s'accrochèrent... Sans prononcer un mot, ils se dirent mille choses.

Comme mue par une force inconnue, elle s'approcha de lui. Je suis à vous, disait son regard. Pour tout le temps que vous voudrez bien de moi...

Oui, sa reddition était totale. Elle appartenait à cet homme. Elle ne luttait plus...

— Ainsi, vous avez pu venir à l'occasion du vernissage de Lisa ? fit-il. J'en suis heureux.

Elle humecta ses lèvres sèches.

— Cela me fait plaisir d'admirer ses œuvres, réussit-elle à dire.

Elle le contemplait sans ciller. Les lignes qui encadraient sa bouche semblaient plus profondes, plus amères.

Il travaille trop, songea-t-elle.

L'envie de le prendre dans ses bras et de le bercer la submergea. Elle aurait voulu caresser son front soucieux, en effacer les plis...

— Vous avez beaucoup voyagé ces derniers temps ? s'entendit-elle demander.

— Mais il a pu s'arranger pour être là le jour du vernissage ! s'exclama Lisa. Je suis si contente !

Maureen redescendit enfin sur terre. Elle était tellement troublée qu'elle avait oublié la présence d'Hank et de Lisa !

Elle se laissa tomber dans le fauteuil le plus proche. Soudain, ses jambes ne la portaient plus.

Ray lui apporta un verre de chablis.

Elle sourit.

Bientôt, ils passèrent tous à table. Maureen mangea et but mais elle aurait été absolument incapable de dire ce qu'il y avait dans son assiette. Elle se trouvait dans un état second. Tout ce qui n'était pas Ray la laissait indifférente.

— Je pensais emmener Maureen visiter le ranch à cheval, demain matin, fit Hank. Mais maintenant que vous êtes là, Ray, je suppose que nous passerons la journée à travailler ?

— Y a-t-il des problèmes à traiter immédiatement ?

— Rien d'urgent, assura Hank en se frottant les mains d'un air satisfait. Tout suit son cours sans histoire. Il a plu suffisamment et les prés sont bien verts. Le foin a été rentré pour l'hiver et j'ai pu acheter des kilomètres de fil barbelé à un prix intéressant pour enclore les nouveaux champs.

— Alors mettons-nous en vacances ! suggéra Ray. Tout au moins jusqu'à l'exposition de Lisa...

Lisa regarda son frère d'un air soucieux.

— Tu as l'air fatigué. Tu étais beaucoup plus heureux quand tu vivais sur le ranch... As-tu vraiment besoin de courir le monde pour tes affaires ?

Elle secoua la tête.

— Par moments, je me dis qu'il aurait mieux valu ne jamais trouver de pétrole ici !

De l'index, Ray caressa sa cuiller d'argent dans un geste que Maureen se rappelait si bien...

— Figure-toi, Lisa, que j'ai pensé exactement la même chose. Voilà pourquoi j'ai passé tant de temps en Europe et au Canada... J'ai vendu toutes les sociétés que je possédais là-bas.

147

Son regard s'évada.

— Pendant quelques années, j'ai été vraiment passionné par les affaires internationales. Je n'envisageais pas de vivre autrement qu'en businessman.

Il haussa les épaules.

— Et soudain, j'ai compris que rien ne me plaisait plus que la vie au ranch. J'ai donc racheté des affaires que je pourrai mener d'ici.

— Formidable ! s'exclama sa sœur. Ainsi, nous te verrons un peu plus souvent ? Quelle bonne nouvelle ! Tu pourras donc t'occuper de ton futur neveu...

— Ou de ma future nièce !

— Toi-même, poursuivit Lisa, as-tu l'intention de fonder bientôt une famille ?

Il eut un léger sourire.

— Cela, ma chère sœur, c'est mon affaire ! Je n'ai pas besoin de ton aide dans ce domaine...

Ils se levèrent de table et Lisa le prit affectueusement par le bras.

— J'ai beaucoup d'amies qui aimeraient partager ta vie, tu sais ! Dès qu'elles sauront que tu es de retour, elles vont m'inonder d'appels téléphoniques !

Mona la première, songea Maureen avec amertume. Et peut-être aussi cette Gloria...

Ray se tourna vers elle :

— Demain, je vous ferai visiter le ranch à cheval. J'ai acheté cet été une petite jument avec laquelle vous devriez très bien vous entendre. Elle n'est pas encore sortie, mais vous êtes une excellente cavalière et ne devriez pas avoir de problème à la monter.

Il lui sourit.

— A huit heures ? Ce ne sera pas trop tôt ? Mettez un gros chandail : il fait frais le matin.

Il ne tarda pas à prendre congé. Peu après, Maureen se retira, partagée entre la joie et le désespoir.

La joie parce qu'il était là, parce qu'elle l'avait revu alors qu'elle n'y comptait plus. Et le désespoir parce qu'il ne l'avait pas embrassée, ni même effleurée... L'amour était donc seulement de son côté à elle ? De celui de Ray, il n'y avait même plus l'étincelle du désir ?

Il faisait très beau le lendemain matin. Le soleil brillait et Maureen était prête bien avant l'heure dite.

On frappa à sa porte et, quand elle alla ouvrir, elle se trouva en face de la femme de charge.

— Oh, vous êtes déjà levée ! s'exclama celle-ci avec soulagement. M. Ray vient d'arriver pour vous chercher et j'avais peur que vous ne dormiez encore ! M. Ray n'est pas un homme que l'on fait attendre !

Maureen eut un petit rire.

— Vous avez raison, approuva-t-elle. M. Ray n'est pas un homme que l'on fait attendre !

Comme elle se sentait légère, soudain ! Elle passa un anorak sur son épais pull-over et descendit. Ray se trouvait dans l'entrée. Il l'attira contre lui, sans un mot, et l'étreignit passionnément. Leurs lèvres se rencontrèrent et, les yeux clos, Maureen s'abandonna.

Ne vous lassez pas trop vite de moi ! supplia-t-elle intérieurement.

Ray releva la tête.

— Partons... Mᵐᵉ Hall, ma gouvernante, est en train de préparer un succulent petit déjeuner en votre honneur. Ne la faisons pas attendre, elle serait désolée !

Il l'entraîna vers sa voiture. A peine se trouvait-elle installée qu'il lui prit la main et déposa un baiser au creux de sa paume avant de refermer ses doigts dessus, comme pour l'empêcher de s'envoler. Dans ce baiser, Maureen vit une promesse...

Mme Hall, une femme au chignon gris et à l'allure sévère, parut au premier abord intimidante à Maureen. Mais quand ce visage austère se détendit dans un sourire, elle se devina adoptée...

— Le petit déjeuner est servi dans la salle à manger, Ray ! dit Mme Hall d'un ton sans réplique.

Il étouffa un petit rire, tout en emmenant Maureen vers la salle à manger où des sets brodés avaient été disposés sur la table d'acajou.

— Mme Hall m'a connu tout enfant. Et comme vous pouvez le constater, c'est elle qui commande ! D'ordinaire, je prends mon petit déjeuner dans la cuisine. Apparemment, elle se met en frais pour vous.

Il hocha la tête.

— C'est bon signe !

La gouvernante leur apporta un repas pantagruélique. Des œufs brouillés, du jambon, des brioches maison et de moelleuses tranches de pain aux raisins grillées, le tout arrosé de café noir bien fort.

— C'est trop, je n'en peux plus ! s'exclama Maureen. Si je continue, je serai incapable de monter à cheval !

— Mme Hall a dû penser que vous aviez besoin de vous remplumer un peu ! déclara Ray.

150

Il se leva et lui prit la main.

— Venez...

Il l'emmena aux écuries. Et ce fut seulement en y arrivant qu'elle constata avoir oublié d'examiner l'intérieur de la maison dans laquelle elle venait de prendre son petit déjeuner. Pourtant, Ray l'avait guidée à travers une enfilade de pièces... Mais elle était tellement troublée par sa présence qu'elle n'avait fait attention à rien, alors qu'elle rêvait tant de connaître son cadre de vie !

Sa jument, Batique, l'attendait, déjà sellée. Quant à Ray, il montait un grand étalon gris. A peine la barrière qui fermait la cour des écuries fut-elle ouverte par un palefrenier que les chevaux partirent au petit galop.

Les silhouettes des puits de pétrole se profilaient à l'horizon. Les troupeaux paissaient autour sans paraître s'en inquiéter.

De l'autre côté, les champs s'étendaient à perte de vue.

— Pas de pétrole par là ? demanda Maureen.

— Si, mais en nappes très profondes. L'exploitation s'en révèle peu rentable à l'époque actuelle. Plus tard, peut-être...

Il eut un demi-sourire.

— Mes enfants exploiteront sûrement ces terrains.

Ses enfants... Le cœur de Maureen se tordit douloureusement.

— De quel côté voulez-vous aller ? demanda-t-il.

— Par là ! décida-t-elle en désignant les montagnes qui s'élevaient au loin.

Bien sûr, jamais ils ne les atteindraient, mais les collines qui les précédaient l'attiraient plus que les immenses étendues herbeuses entourées de fils barbelés.

Les chevaux allaient au trot. Les cheveux flottant dans le vent, Maureen se laissait griser de grand air et d'espaces infinis.

Bientôt, Ray ralentit l'allure. Il indiqua une butte herbeuse.

— On a de là-haut une vue extraordinaire. Quand j'étais enfant, j'adorais venir ici... Je jouais dans les cavernes creusées sous les rochers et je m'imaginais être un Indien poursuivi par la cavalerie... Ou encore un trappeur cherchant à échapper aux Indiens !

Maureen se surprit à rêver à un petit garçon aux cheveux pâles...

— Voulez-vous monter en haut de *ma* butte ? proposa-t-il.

— Oh ! Oui !

Ils attachèrent leurs chevaux aux branches d'un arbre et commencèrent leur escalade. Celle-ci se révéla assez ardue. Maureen dut s'aider des mains pour parvenir au sommet...

— Voyez-vous, on trouve une première grotte ici, expliqua Ray. Elle est relativement peu profonde. Par contre, un peu en contrebas de ce côté...

Le grondement du tonnerre l'interrompit. Le ciel, clair lorsqu'ils avaient quitté l'écurie, s'était progressivement obscurci. Un éclair zébra les nuages et, de nouveau, le tonnerre gronda.

Quelques grosses gouttes s'écrasèrent sur le sol.

— Vite, allons nous mettre à l'abri avant l'averse ! s'écria Ray.

Il prit la main de Maureen et l'entraîna vers la plus grande des cavernes. Ils y avaient à peine pénétré qu'un véritable déluge s'abattit. L'entrée de la grotte était barrée par un rideau d'eau opaque.

— J'espère qu'il ne pleuvra pas longtemps, fit Ray. Sinon nous aurons du mal à descendre... La butte est en argile et le sol devient vite très glissant. Il m'est arrivé une fois de me laisser surprendre par la pluie dans cette caverne... J'avais neuf ou dix ans, j'étais léger et agile et j'ai eu toutes les peines du monde à gagner le bas de la colline !

Pour l'enfant qu'il était alors, la grotte avait dû paraître très grande. Maintenant qu'ils s'y trouvaient à deux et que l'averse en bloquait l'entrée, elle semblait terriblement exiguë à Maureen.

Ray se remit à parler mais elle ne l'entendait plus. Inexorablement, la crise de claustrophobie la paralysait... Les yeux agrandis, les mains crispées, elle haletait.

— Maureen...

Ray la prit dans ses bras et elle s'abattit contre sa poitrine. Près de lui, elle ne risquait rien... Tout de suite, sa respiration redevint normale et sa terreur disparut.

— Tout va bien, ma chérie, murmura Ray à son oreille. N'ayez pas peur... A nous deux, nous saurons repousser vos cauchemars !

Elle leva les yeux vers lui. Sa peur panique s'était envolée à tire-d'aile ! Et elle avait l'impression étrange que plus jamais elle n'aurait de telles crises.

« A nous deux, nous saurons repousser vos cauchemars », avait dit Ray. Ces trois mots résonnaient sans fin dans sa mémoire : *à nous deux*...

— C'est fini, assura-t-elle avec surprise. C'est fini... pour toujours !

Doucement, il lui caressa les joues avant de déposer un léger baiser sur ses lèvres. Elle lui adressa un sourire plein de confiance.

— Je vous aime, fit-elle dans un souffle.

Sa voix se raffermit.

— Je vous aime ! répéta-t-elle. Je suis à vous pour tout le temps que vous voudrez, jusqu'à ce que vous en ayez assez de moi, jusqu'à ce que vous alliez rejoindre une autre Gloria...

Il l'interrompit.

— Gloria ?

— Mona a dit qu'elle s'était enfuie à Saint-Moritz l'année dernière parce que vous vous intéressiez à une certaine Gloria, avoua-t-elle.

Elle détourna la tête. Elle ne voulait pas qu'il lise la jalousie dans ses yeux...

Il eut un petit rire tremblé.

— C'est insensé !

Et, resserrant son étreinte :

— Ecoutez bien, petite folle ! Car je ne vous répéterai jamais ceci ! Je ne prétends pas avoir vécu comme un ascète en vous attendant ! Oui, il y a eu des Gloria dans mon passé mais il n'y en aura plus, car j'ai trouvé la femme de mes rêves, la femme de ma vie. Elle s'appelle Maureen ! Si elle veut de moi, ce sera pour toujours.

Elle écarquilla les yeux.

— C'est... c'est une demande en mariage, Ray ?

— Evidemment !

Elle prit sa tête entre ses mains et, à son tour, murmura :

— C'est insensé ! Vous êtes parti pendant plus

154

de deux mois et vous ne m'avez pas donné le moindre signe de vie !

— J'étais furieux contre moi, Maureen... Je ne cessais de penser à vous ! Quand je me trouvais assis à une table de conseil d'administration, au lieu d'écouter la lecture des rapports, j'entendais une voix musicale, une voix de femme aux mille nuances ! Je voyais ses grands yeux gris et je mourais d'envie de caresser sa peau de soie...

Il rejeta ses cheveux en arrière.

— Savez-vous pourquoi j'ai vendu toutes les affaires que je possédais à l'étranger ? Parce que j'ai enfin admis qu'il était inutile de lutter. Nous sommes faits l'un pour l'autre, Maureen. Je veux passer le reste de mon existence à vos côtés, je veux voir nos enfants grandir sur ce ranch...

— Oh ! Ray ! s'exclama-t-elle d'une voix étranglée.

Elle lui tendit ses lèvres et ils s'étreignirent follement. Ils étaient seuls au monde, ils étaient l'un à l'autre et pour toujours.

La pluie avait cessé depuis longtemps déjà. Mais la passion les emportait, ils ne s'en étaient même pas aperçus.

Vous avez aimé ce livre de la *Série Romance*.

Mais savez-vous que Duo publie pour vous
chaque mois deux autres séries?

Désir vous offre la séduction, la jalousie,
la tendresse, la passion, l'inoubliable...
Désir vous entraîne dans un monde de sensualité
où rien n'est ordinaire.

Série Désir : 6 nouveaux titres par mois.

Harmonie, ce sont des romans plus longs, riches
en détails pittoresques, en aventures merveilleuses...
Harmonie, ce sont 224 pages de réalisme et de rêve,
pour faire durer votre plaisir.

Série Harmonie : 4 nouveaux titres par mois.

Série Romance : 6 nouveaux titres par mois.

Série Romance

189   **PHYLLIS HALLDORSON**
Rêves de tendresse

Injustement accusée d'avoir renversé
une petite fille, Sabrina Flannery parviendra-t-elle
à convaincre David Christopher, le père
de l'enfant blessée, de son innocence ?
Il y va de son avenir, mieux, de son amour...

190   **TRACY SINCLAIR**
Le miroir aux éphémères

Pour Logan Marshall, le tout-puissant producteur
de cinéma, toutes les femmes sont vénales.
Toutes, sauf peut-être Lisa Brooks,
la petite provinciale qui ose lui tenir tête.

Ce mois-ci

Le mois prochain

Achevé d'imprimer sur les presses de l'imprimerie Bussière
à Saint-Amand-Montrond (Cher)
le 25 mai 1984. ISBN : 2-277-80191-7. ISSN : 0290-5272
N° 597. Dépôt légal mai 1984. Imprimé en France

Collections Duo
27, rue Cassette   75006 Paris
diffusion France et étranger : Flammarion